Fy Hanes i

STREIC

Dyddiadur

Ifan Evans, Llwybrmain, Bethesda, 1899-1903

Eigra Lewis Roberts

Argraffiad cyntaf – 2004

ISBN 1 84323 246 4

Cyhoeddwyd dan gynllun comisiynu
Cyngor Llyfrau Cymru.

Dymuna'r cyhoeddwyr gydnabod cymorth
Adrannau Cyngor Llyfrau Cymru.

Argraffwyd gan
Wasg Gomer, Llandysul, Ceredigion SA44 4JL

Dydd Sadwrn, Rhagfyr 23, 1899

Hwn ydi'r copi-bwc cynta i mi ei gael erioed. Gan Grace Ellis, Bristol House, y ces i o, yn bresant Dolig. Mae rhai'n deud ei bod hi'n dipyn o hen drwyn, ond mae hi bob amsar yn glên efo fi. Mi dw i'n meddwl 'mod i'n gwbod pam, ond fiw deud.

Doedd gen i fawr o awydd dechra sgwennu ynddo fo, ond i be arall mae copi-bwc yn da? Mi fydd yn rhaid i mi gofio golchi 'nwylo bob tro cyn mynd ati neu fe fydd yn ôl bodia i gyd. Roedd Grace Ellis yn meddwl y bydda'n syniad da i mi gadw dyddiadur. 'Dydw i ddim ond yn gneud 'run peth bob dydd, mynd i'r ysgol a'r capal, bwyta a chysgu, a chwara efo Joni Mos,' medda fi. Dim ond gwenu ddaru hi a deud, 'Mi w't ti'n siŵr o feddwl am rwbath.'

Falla medra i, ond ddim heno a'r tŷ'n llawn o ogla Dolig.

Ro'n i wedi bwyta gormod ddoe i allu sgwennu gair. Does 'na ddim curo ar blwm pwdin Mam. Ei ferwi o mewn crochan ar y tân y bydd hi, mewn powlan a chadach gwyn drosti, wedi'i glymu efo llinyn, a dolenna bach o boptu er mwyn gallu codi'r bowlan o'r dŵr. Fe fydd yn rhoi pishyn tair gwyn yn y pwdin. Fi gafodd hwnnw eto 'leni, ac mi fu ond y dim i mi ei lyncu o. Dyna be fydda gwastraff!

Rydw i'n un go dda am wrando fel arfar, ond i mewn drwy un glust ac allan drwy'r llall yr aeth pregath bora Dolig Mathew Jones, y gweinidog. Mi wn i nad ydi'r capal mo'r lle i feddwl am betha fel plwm pwdin a chyflath, ac mi fu'n rhaid i mi ddeud fod yn ddrwg gen i wrth Dduw ar fy mhadar neithiwr. Choelia i byth nad ydw i'n gorfod deud fod yn ddrwg gen i am rwbath neu'i gilydd bob nos. Mae'n siŵr ei fod o wedi hen flino arna i.

Ches i ddim mynd allan i chwara ddoe gan fod Mam yn credu fod dwrnod Dolig yn haeddu'r un parch â'r Sul, ond fe wnaeth Joni a finna i fyny am hynny heddiw.

Dydd Mercher, Rhagfyr 27, 1899

Lwcus 'mod i wedi cuddio hwn dan y dillad gwely cyn syrthio i gysgu neithiwr neu fe fydda Tom wedi'i weld o a dechra fy herian i. Falla 'mod i rêl pen bach yn meddwl fod gen i rwbath gwerth ei ddeud, ond fyddwn i ddim wedi breuddwydio gneud y fath beth oni bai i Grace Ellis roi'r syniad yn fy mhen i. Biti ar y naw na fydda hi wedi rhoi taffi i mi yn lle copi-bwc.

Fin nos, fe fuon ni'n chwara mynd i Fangor heb ddeud 'ia' na 'nace'. Rydw i wedi rhoi'r gora i'w chwara hi efo Joni. Pan fydda i'n gofyn rwbath fel, 'Lawr Ffordd Lloyd y byddi di'n cychwyn 'te?' fe fydd yn atab, 'Ia, siŵr. Dyna be 'di cwestiwn twp.' A dyna'r gêm wedi gorffan cyn iddi ddechra. Mae Nhad yn gallu meddwl am bob math o atebion, ac fe fydd o wastad yn llwyddo i gyrradd Bangor heb gael ei ddal.

Dydd Sul, Rhagfyr 31, 1899

Gan mai fi pia'r dyddiadur 'ma, mae'n debyg y bydda'n well i mi roi fy enw a 'nghyfeiriad arno fo. Ar y dechra y dylwn i fod wedi gneud hynny, ond waeth iddo fod yn fan'ma ddim.

Ifan Evans
20 Llwybrmain
Douglas Hill
Bethesda
Sir Gaernarfon
Cymru
Prydain Fawr
Y Byd

Mae 'na fap o'r byd ar y wal yn ysgol Bodfeurig. Dim ond sbotyn ydi Cymru arno fo, a dydi Prydain Fawr hyd yn oed, er ei bod hi mor bwysig, yn ddim ond tamad bach. Ond mae Llwybrmain, Douglas Hill, yn ddigon mawr i mi.

Pedwar ohonon ni sy'n byw yn rhif 20 – Nhad a Mam a Tom a fi. Robert Evans ydi enw Nhad. Mae o'n meddwl y byd o'r chwaral. Fe gafodd ei ddewis yn llywydd Caban Ponc Twll Dwndwr llynadd. Hen bryd, yn ôl Mam, gan nad oedd 'na neb yn haeddu'r anrhydadd yn fwy na fo. Bob tro y bydd Tom wedi gneud rwbath i'w phechu hi fe fydd yn deud fod gofyn iddo forol ati os ydi o am fod hannar cystal dyn â'i dad. Poeni mae hi ei fod o'n lolian gormod efo Now Morgan ac ofn i hwnnw gael dylanwad drwg arno fo. Ond waeth heb â deud dim, achos Mam ydi Mam, ac mae un edrychiad ganddi hi yn ddigon i neud i Tom a finna swatio.

'Bach y nyth' fydd Nhad yn fy ngalw i weithia. Mae Tom ddeuddag mlynadd yn hŷn na fi. Fe adawodd yr ysgol i fynd i weithio i'r chwaral pan oedd o'n dair ar ddeg oed, ac mae ynta'n meddwl y byd o'r lle. Rydw i'n falch mai brawd mawr sydd gen i. Pla go iawn ydi Beni Mos, brawd bach Joni, o dan draed drwy'r amsar ac yn difetha pob chwara.

Heno ydi noson ola 1899, ac mae'r tri ohonyn nhw yn y gegin yn aros i ddeud ta ta wrthi hi. A lle'r ydw i? Yn y gwely, a 'mrest i'n blastar o saim gŵydd am fy mod i'n hel annwyd.

1900

Dydd Llun, Ionawr 1

Pan edrychas i drwy ffenast y gegin bora 'ma, dyna lle'r oedd Joni yn ista ar y wal gyferbyn ac yn edrych yn bles iawn arno'i hun. Roedd Mam yn y gegin gefn yn plicio tatws ar gyfar lobsgows, ac mi fedras sleifio allan.

Y peth cynta wnaeth Joni oedd fy siarsio i i gau 'ngheg, er nad o'n i wedi deud gair. Wrthi'n cyfri pres yr oedd o. Roedd 'na bentwr ohonyn nhw, yn ffyrlings a dimeia, ac amball geiniog hefyd. Pan ofynnas i lle cafodd o nhw, dyna fo'n deud, yn orchast i gyd, 'C'lennig 'te. Sut hwyl gest ti arni hi?'

Mi fu'n rhaid i mi ei atgoffa i mi ddeud Calan dwytha nad ydi Mam ddim yn fodlon i mi fynd i fegian o gwmpas y lle. Mae gan Joni Mos gof fel gogor. Roedd edrych arno fo'n eu cyfri nhw drosodd a throsodd, a'i dafod yn hongian o gornal ei geg, yn gneud i mi deimlo reit sâl. Mi rois i lond pen iddo fo pan glywas i ei fod o wedi cael dwy geiniog gan Thomas Ellis, Penrhiw, dim ond am ddeud 'hapi niw iâr'. Yr hen gena hwnnw sy'n sbecian i weld pwy sy'n cyrradd yn hwyr i'r chwaral ac

10

yn cario straeon am y dynion. Ond doedd hynny'n poeni dim ar Joni. Dyna fo'n gwthio'r cwbwl i'w bocad heb fod fymryn callach faint oedd ganddo fo ac yn deud, 'Hidia befo. 'Ma chdi ddarn o gyflath. Gan Grace Ellis, Bristol House, cariad Tom, ces i o.'

Chredodd o mohona i pan ddeudis i nad ydi hi'n gariad iddo fo. Roedd o wedi eu gweld nhw'n mynd am Bont Twr noson Steddfod Rachub, medda fo. Mae'r Joni Mos 'na'n cael mynd i bob man, er nad ydi o fawr hŷn na fi. Allan ben bora a berfeddion nos, a neb yn swnian arno fo i ddysgu adnoda na thrio gneud sgolor ohono fo. Waeth iddyn nhw heb â gwastraffu amsar, o ran hynny. On'd ydi syr wedi deud sawl tro mai dim ond llwch lli sydd gan Joni rhwng ei glustia?

I ffwrdd â fo wedyn, nerth ei draed, a'r pres yn clincian yn ei bocad. Wedi iddo fo ddiflannu i lawr y lôn, pwy ddaeth heibio ond Lisi Mos, ei fam, a phowlan siwgwr yn ei llaw, ar siwrna fenthyg i'n tŷ ni.

'Mi dach chi newydd golli Joni,' medda fi.

'Dyna be ydi lwc,' medda hitha. 'Blwyddyn newydd dda i ti 'ngwas i.'

Dyna fi'n gwthio'r darn cyflath i 'ngheg a'i droi o am fy nhafod, ond mi ges bwl o beswch ac mi fu'n rhaid i mi ei boeri allan cyn cael ei flas o hyd yn oed. Roedd hi wedi canu arna i allu sleifio i mewn heb i Mam fy ngweld i, ac mi ges flas ei thafod hi am sefyllian yn yr oerni a dad-

11

neud effaith y saim gŵydd. Falla fod hon yn flwyddyn newydd dda i rai, ond nid i mi.

Dydd Mercher, Ionawr 3

Mi fydda'n well 'taswn i wedi gwrando ar Mam a gadal Joni lle'r oedd o. Mi dw i wedi bod yn sobor o sâl, ac yn rhy wan i afael mewn pensal.

Mae Mam wedi picio i lawr i'r pentra, a Nhad a Tom yn y chwaral. Yno efo nhw y bydda inna gynta medra i, er bod Mam am i mi fynd yn ditshiar, neu'n bregethwr, fel Daniel Ellis, Bristol House. Gweithio ar Bonc Twll Dwndwr mae ynta, ond dim ond nes bydd o wedi hel digon o bres i allu mynd i'r coleg pregethwrs yn y Bala. Fo ydi partnar Tom, ac roeddan nhw eu dau a Grace Ellis a Laura Penybryn yn ffrindia mawr erstalwm pan oedd Nhad a Mam a Tom yn byw efo Nain a Taid yn Stryd Ogwen. Mae o'n mynd i briodi Laura, ond rydw i'n meddwl ei bod hi'n llawar rhy glên iddo fo. Fe fydd yn galw yma weithia i weld Tom. Er eu bod nhw tua'r un oed, mae Daniel Ellis fel hen gant, ac yn meddwl fod ganddo fo hawl i ddeud wrth bawb be i neud, dim ond am ei fod o'n mynd yn bregethwr.

Mi dw i wedi blino sgwennu rŵan. Well i mi guddio hwn dan y fatras. Fe fydda Mam o'i cho 'tasa hi'n gwbod 'mod i'n deud petha cas am Daniel Ellis a hitha'n credu na fedar pregethwrs neud dim byd o'i le.

Dydd Sadwrn, Ionawr 6

Jini Mos ddaru berswadio Mam i adal i mi fynd i ffair Pesda efo Joni heddiw. 'Fedri di mo'i gadw fo wrth linyn dy ffedog am byth, Elen,' medda hi. Fydda neb arall wedi meiddio deud hynny wrth Mam. Mi ges i bob math o siars ar be i neud a be i beidio'i neud, a Joni yn porthi fel 'tasa fo yn sêt fawr Hermon. 'Mi drycha i ar ôl Ifan, Elen Evans,' medda fo.

Fedrwn i ddim credu fod 'na le i gymaint o bobol yn stryd fawr Pesda. Roedd yr holl sŵn yn gneud i 'mhen i droi. 'Tyd 'laen,' gwaeddodd Joni, a gwthio'i ffordd drwyddyn nhw o un stondin i'r llall. Roedd o wedi gwario'r cwbwl o'i bres c'lennig cyn pen dim, ac am i mi fynd efo fo i wrando ar y Salfesh yn canu. 'Wela i di yno,' medda fi. Do'n i ddim wedi cael cyfla i weld dim byd yn iawn na meddwl be i'w gael efo'r pishyn tair gwyn. Ac i ffwrdd â fo, wedi anghofio'i fod o wedi addo edrych ar f'ôl i. Ond mi fedras ffeindio fy ffordd o gwmpas yn iawn hebddo fo, fel 'taswn i wedi hen arfar. Roedd gen i ddigon yn sbâr ar ôl cael llond bag o daffi i brynu hances bocad yn bresant i Mam.

Roedd y Salfesh wrthi'n bloeddio canu, 'What a friend we have in Jesus', ond doedd 'na ddim golwg o Joni. Mi ddois o hyd iddo fo'n gwrando ar Robat Jôs Gwich wrth geg Lôn Pab. Deud y drefn am Lloyd George oedd hwnnw, am ddwyn pres yr Hen Fam a'u rhoi nhw i'r capelwrs. 'Mam pwy 'di honno, d'wad?' medda Joni. Es i ddim i draffarth egluro iddo fo mai dyna mae pobol yn galw'r eglwys. Roedd o'n rhy brysur yn cnoi licris bôl, p'un bynnag, a ffosydd duon yn rhedag i lawr ei ên.

Roeddan ni'n hwyr yn cyrradd adra am fod Joni wedi gorfod stopio i daflu fyny wn i ddim faint o weithia. Arno fo roedd y bai yn stwffio'i fol. Mi fydda'n well 'tasa fo wedi meddwl am rywun arall, fel gnes i, yn lle gwario'r cwbwl arno fo'i hun.

Roedd Mam wedi'i phlesio'n arw, a ches i ddim tafod am fod yn hwyr. Mae hi wedi cadw'r hancas yn y drôr efo'i llyfr emyna, yn barod at fory. 'Wel, ddaru Joni edrych ar d'ôl di'n iawn?' medda hi. Ro'n i'n teimlo fel deud na fedar hwnnw ddim edrych ar ei ôl ei hun, heb sôn am neb arall, ond wnes i ddim, rhag ofn iddi ddechra holi. Be fydda ganddi hi i'w ddeud, tybad, 'taswn i wedi cyrradd adra a 'nillad i'n stremp o daflu fyny? Fydda 'na ddim ffair byth eto, mae hynny'n siŵr. Ond mi fydda'n dda gen i 'taswn i wedi gallu fforddio prynu hances i Lisi Mos. Fyddwn i ddim wedi gweld y ffair 'leni chwaith oni bai amdani hi.

Dydd Gwener, Ionawr 12

Mi ges i bob sym yn iawn heddiw, ac fe ddaru syr fy nghanmol i am ddarllan Saesnag. Ond be fydd rhyw hen betha felly'n da i mi yn y chwaral? Roedd Twm Mos, cefndar Joni, na fedar o na chyfri na darllan, yn filan efo fi. Os mai llwch lli sydd gan Joni rhwng ei glustia, mae pen Twm Mos fel cneuan goeg. Ond os ydi'i ben o'n wag, mae'i bocedi fo bob amsar yn llawn o farblis a fferins. Fe ddaru Huw Mos, ei dad, adal y chwaral i fynd yn bortar ar stesion Pesda, ac mae o'n gneud pres da, yn enwedig yn yr ha pan fydd fisitors yn rhoi cil-dwrn iddo fo am eu helpu nhw efo'u bagia.

Roedd Tom yn ei deud hi'n arw heno. Llynadd, fe ddaeth ryw Mr Mears yr holl ffordd o'r India i helpu Mr Young i redag y chwaral, yn lle David Pritchard. Doedd gan Tom a Now fawr o feddwl o hwnnw chwaith. Hen goblyn slei oedd o, meddan nhw, yn achwyn a chario straeon. Ond mae petha lawar gwaeth rŵan. Dydi'r dyn newydd 'ma'n deall dim am chwaral, mwy na Mr Young, ac mae'r ddau'n taflu'u pwysa o gwmpas fel 'tasa nhw pia'r lle.

Dydd Sadwrn, Ionawr 20

Mae'r Young 'na wedi bod wrthi eto. Fe fydd y dynion yn colli dau ddwrnod o waith am fod yn hwyr, ac wythnos gyfa am adal cyn amsar. Ac mae o wedi rhoi'r sac i Griffith Parry, dyn sydd wedi bod yn gweithio'n y chwaral am hannar can mlynadd, am wrthod achwyn ar y dynion.

Roedd Tom mewn andros o hwyl ddrwg pan gyrhaeddodd o adra, a doedd ganddo fo ddim awydd swpar chwaral, medda fo. Fe fydda'n well 'tasa Mam wedi gadal iddo fo yn lle mynnu nad oedd 'na'r un fendith i gael ei gofyn na'r un tamad i gael ei fwyta nes bod pawb wrth y bwrdd. Meddwl oedd hi, mae'n siŵr, y galla hi roi taw arno fo, fel arfar, ond methu ddaru hi tro yma.

Dydd Mawrth, Ionawr 30

Dydi petha ddim gwell. Doedd Tom byth yn arfar ffraeo fel'ma cyn iddo fo ddechra cyboli efo Now Morgan. Yn ôl Mam, mae gan hwnnw ormod i'w ddeud o'r hannar, a'i dafod a'i ddyrna yr un mor brysur â'i gilydd. Liciwn i ddim tynnu'n groes iddo fo.

Y Lord oedd 'dani heddiw. Fo sydd pia'r chwaral. Mae un enw'n ddigon gen i, ond mae'n rhaid iddo fo gael rhibidirês ohonyn nhw – George Sholto Douglas Pennant, Arglwydd Penrhyn, ail Farwn Llandygái. Mae o a'i deulu'n byw yng Nghastall Penrhyn ar ffordd Bangor a walia uchal o'i gwmpas i gadw pawb allan – pawb ond y byddigions sy'n dŵad yno i aros. Roedd Tom wedi bod wrthi am hydoedd yn sôn fel mae'r Lord wedi cael y cwbwl ar blât heb orfod gneud dim, pan ddeudodd Mam, 'Newidiwn i ddim lle efo fo, beth bynnag. Faswn i ddim balchach o fyw yn yr hen hongliad Castall 'na, ond siawns nad oes ganddo fo hawl ar ei eiddo ei hun, fel sydd ganddon ninna ar y clwt bach yma.'

Ro'n i'n meddwl yn siŵr y bydda hynny'n ddigon i setlo petha ac y gallwn i fynd i gysgu'n dawal gan wbod fod pawb yn ffrindia unwaith eto. Ond roedd yn rhaid i

Tom gael y gair ola a difetha pob dim. Doedd ganddyn nhw ddim hawlia, medda fo. Y Lord bia'r tŷ a'r tir, a'u bywyda nhwtha hefyd. Methu deall ydw i i be mae hwnnw angan ein tŷ ni ac ynta â llond gwlad o le fel mae hi. Y Now 'na sydd wedi bod yn eu palu nhw eto, mae'n rhaid, a Tom yn ddigon gwirion i'w gredu o.

Dydd Sadwrn, Chwefror 3

Doedd gen i ddim awydd mynd am dro at Lyn Ŵan Ddôl efo Tom pnawn heddiw. Ddeudis i 'run gair ar hyd y ffordd i fyny. Wedi i ni gyrradd y llyn, dyna fo'n gofyn, 'Wel, be sy'n bod arnat ti?' 'Wedi digio wrthat ti am fod yn gas efo Nhad a Mam a'u gneud nhw'n ddigalon ydw i,' medda fi.

Doedd o ddim ond wedi deud y gwir, medda fo. Mi wn i pa mor bwysig ydi deud y gwir, bob amsar, ac mai fi ddaru fynnu cael gwbod, ond mae'n gas gen i feddwl mai'r Lord sydd bia'n tŷ ni o ddifri a'n bod ni'n gorfod talu rhent iddo fo am gael byw yma. Ac mae'n waeth fyth meddwl mai fo bia ni. Dyna pam mae hi mor bwysig fod y dynion yn sefyll efo'i gilydd. Ro'n i'n teimlo lawar gwell pan ddeudodd Tom eu bod nhw'n benderfynol o ddangos i'r Lord na chaiff o mo'i ffordd ei hun.

Dydd Sul, Chwefror 18

Mae Tom wedi dysgu pennill i mi, un maen nhw'n ei ganu yn y caban ar alaw *Y Mochyn Du*. Rydw i am ei sgwennu o i lawr rhag ofn i mi anghofio rhai o'r geiria.

Mewn gweithfeydd sydd yma 'Nghymru
Gwelir Saeson yn busnesu;
Rhaid cael Cymry i dorri'r garreg,
Nid yw'r graig yn deall Saesneg.

'Be 'di'r hen lol yna?' medda Mam, pan glywodd hi fi'n mwmian y gân heno. 'Mi fydda'n rheitiach i ti ganu un o emyna Mr William Williams, Pantycelyn.' Ond rydw i'n meddwl fod y pennill yma gystal â'r un emyn, ac yn wir bob gair.

Dydd Iau, Mawrth 1

Does 'na ddim byd o werth wedi digwydd. Mae Now Morgan yn dal i hel ei draed o gwmpas y lle 'ma, ond ddaw o ddim yn rhy agos at y tŷ rhag ofn i Mam roi pregath iddo fo. Dydi Tom ddim wedi sôn fawr am y chwaral er pan fuon ni am dro at y llyn, ac mae o'n gneud ati i fod yn glên efo Mam a Nhad. Fydda fo byth wedi eu brifo nhw'n fwriadol. Wedi gwylltio roedd o, ac mi fedra i ddeall pam rŵan ar ôl iddo fo ddeud wrtha i sut mae'r Lord yn trin pobol Pesda.

Fe gawson ni hanas Dewi Sant yn yr ysgol heddiw, ond does 'na neb yn gwbod fawr amdano fo, dim ond ei fod o'n byw yn y chwechad ganrif, yn yfad lot o ddŵr, ac yn ddyn da. Fe gafodd ei neud yn sant am fod y tir wedi codi dan ei draed pan oedd o'n pregethu. Mae Twm Mos yn meddwl mai tric oedd hynny, ond gwyrth oedd hi, medda Mam, ac nid ein lle ni ydi holi pam a sut, dim ond derbyn a diolch.

Dydd Iau, Mawrth 15

Ro'n i wedi gwlychu at fy nghroen wrth gerddad adra o'r ysgol pnawn 'ma. Ista wrth y tân yr o'n i, efo blancad drosta, ac yn drewi o saim gŵydd, pan glywas i Nhad yn galw o'r cefn, 'Tyd yma, Ifan, mae gen i rwbath i'w ddangos i ti.' Do'n i'm am fynd ddim pellach na'r drws rhag ofn i Joni fy ngweld i. Gadal i'w dillad sychu amdano fo a Beni fydd Lisi Mos. Ond mynd allan fu'n rhaid i mi, a dilyn Nhad rownd y talcan. A dyna lle'r oedd Tom, yn pwyntio at y wal, ac yn wên o glust i glust. Yno'n hongian ar hoelan, roedd 'na fach a phowl newydd sbon.

Mi anghofias i bob dim am y flancad wrth i mi estyn amdanyn nhw, ac fe fydda honno wedi syrthio i bwll o ddŵr a 'ngadal inna'n noethlymun oni bai i Tom gythru amdani. Ond doedd dim tamad o ots gen i pwy fydda wedi 'ngweld i.

Dyna'r tro cynta erioed i mi afael mewn bach a phowl. Mae gan Twm Mos un, ond dim ond ei fêts sy'n cael chwarae efo nhw, a dydw i ddim yn un o rheiny. Jac Go, sy'n gweithio yn Felin Fawr, oedd wedi'u gneud nhw i mi, medda Nhad, am fod mor barod i helpu pan oedd Martha Jac yn sâl. Hen swnan go iawn ydi honno, ac ro'n i wedi cael llond bol ar redag iddi hi, ond erbyn rŵan mi dw i'n falch 'mod i wedi gneud.

Mi fyddwn i wedi rhoi tro arnyn nhw'r munud hwnnw, er bod hi'n glawio fel o grwc, 'tasa Mam heb ddŵad i'r drws a'n hysio ni'n tri i mewn i'r tŷ. Clecian ei thafod wnaeth hi a 'ngyrru i i'r gwely i swatio. Ond waeth gen i yn fan'ma ddim. Mae'n gas gen i ogla dillad yn sychu. A fydda waeth gen i fynd i gysgu rŵan ddim chwaith, er mwyn i fory ddŵad yn gynt.

Dydd Gwener, Mawrth 16

Roedd hi'n haul braf pnawn 'ma, a fedrwn i ddim aros i'r gloch ganu. Ro'n i wedi addo i Joni y câi o dro ar y bach a phowl ond iddo fo gael gwarad â Beni a pheidio sôn gair wrth Twm Mos. Mae gofyn i mi gael digon o ymarfar cyn herio hwnnw i ymryson ras.

Ro'n i'n fodia i gyd ar y dechra, a'r bowl yn syrthio ar ei hochor bob cynnig. Dal y bach yn rhy uchal o'n i, medda Joni. Do'n i ddim am i ryw bot llaeth fel'na ddeud wrtha i be i neud, a chymras i ddim arna ei glywad o, dim ond llithro'r bach i lawr yn slei bach. Ches i ddim traffarth wedyn, nes i ni gyrradd Ffordd Lloyd. Yn sydyn, fe sbonciodd y bowl o 'ngafal i a melltennu i lawr yr allt. 'Y mochyn blêr!' gwaeddodd Joni. 'Ddaliwn ni byth mo'ni rŵan.' I ffwrdd â ni, a gwreichion yn tasgu o'n pedola ni, ond fel roeddan ni'n cyrradd tro Rynys fe allen ni ei gweld hi'n nelu'n syth am Mathew Jones, y gweinidog, oedd wedi sefyll ar ganol y lôn i gael ail wynt. Fedrwn i neud dim ond gweiddi nerth fy mhen, 'Neidiwch, Mistar Jones.' A neidio ddaru o – reit i'r ffos. Feddylias i erioed y galla fo symud mor gyflym. Mae Tom yn deud ei fod o'n rhy ara deg i ddal annwyd, ond dyn sy'n mesur ei gama, fel ei eiria, ydi o, medda Mam.

Fe gafodd Joni a finna andros o strach i'w helpu i ddŵad allan o'r ffos. Roedd ei sgidia fo wedi glynu'n y mwd. Fe fydda'r peth yn ddigri petai o wedi digwydd i rywun arall, ond mi fydda gan Joni a finna ofn i farn ddisgyn arnon ni 'tasan ni'n gneud sbort o weinidog. 'Diolch i chi, hogia bach,' medda fo. 'Bendith arnoch chi.' Ac i fyny'r allt â fo dan hercian, a'r mwd yn disgyn oddi arno fo fel cagla defaid.

Dydi'r bowl ddim gwaeth, ond mi fydda i os caiff Mam wbod.

Dydd Sul, Mawrth 18

Chafodd hi ddim, a dim ond Joni a fi sy'n gwbod pam fod Mathew Jones wedi methu dringo grisia'r pulpud heddiw, a gorfod pregethu o'r sêt fawr.

Mi fyddwn inna wedi bod yn falch o ffos i neidio iddi pan glywas i Mathew Jones yn galw, 'Oes 'ma bobol?' o'r drws pnawn 'ma. 'Dowch i mewn, Mr Jones,' medda Mam yn ei llais dydd Sul, gan dynnu'i ffedog fras efo un llaw ac estyn am ei ffedog ora efo'r llall.

'Steddwch, Mr Jones,' medda hi wedyn, yn ffrwcs i gyd, a thynnu cadar Nhad yn nes at y tân. Ro'n i'n chwys oer drosta, ac yn credu'n siŵr ei bod hi wedi darfod arna i pan ofynnodd hi, 'Ydi'r ffêr rywfaint yn esmwythach erbyn hyn?' 'Dal yn ddigon poenus mae o, Elen Evans,' medda ynta. 'Ond dyna sydd i'w gael o beidio gofalu lle mae rhywun yn rhoi ei draed, yntê?' 'Eich meddwl chi ar betha uwch, Mr Jones,' medda Mam. 'Mi fedrwch neud efo panad dw i'n siŵr. Eli'r galon 'te?'

Mi fedrwn deimlo fy hun yn dechra c'nesu. Doedd o ddim fel 'tasa fo'n gwbod be oedd wedi digwydd. Wedi dychryn gormod, mae'n debyg. Ond pan aeth Mam drwodd i'r gegin gefn, dyna fo'n rhoi winc arna i ac yn sibrwd, 'Mi fyddwn inna wrth fy modd yn chwara washal pan o'n i dipyn iau.' Mi ddeudis i wrtho fo fod yn ddrwg gen i, ac nad o'n i wedi bwriadu'i ddychryn o, ond dim ond gwenu ddaru o a deud, 'Fe alla petha fod yn llawar gwaeth 'tasat ti heb neud.'

'Be mae Ifan 'ma wedi'i neud, felly, Mr Jones?' holodd Mam, ar ei ffordd yn ôl o'r gegin gefn efo platiad o deisenna cri. Roedd hitha'n gwenu pan ddeudodd Mathew Jones wrthi hogia mor dda ydi Joni a finna, ac y bydda hi wedi bod yn arw iawn arno fo oni bai amdanon ni. 'I chi'ch dau mae rhain, fel arwydd o 'ngwerthfawrogiad i,' medda fo, ac estyn pentwr o lyfra bach clawr meddal o'i bocad. Roedd Mam wedi'i phlesio gymaint fel na ddaru hi ddim holi rhagor, a fedra hi ddim aros i gael deud wrth Nhad a Tom mor falch oedd hi ohona i.

Ches i ddim cyfla i edrych ar y llyfra tan heno. Yr un enw, *Cymru'r Plant*, sydd ar bob un, ond maen nhw i gyd yn wahanol. Cylchgrawn mae 'n cael ei alw, medda Tom, ac mae 'na un i bob mis o'r flwyddyn. 1899 ydi rhain. Mae'n mynd i gymryd wythnosa i mi ddarllan y cwbwl, ac fe fydd Joni wedi dechra tyfu locsyn cyn bydd o chwartar ffordd drwodd.

Rydw i wedi gorfod rhoi un o'r marblis gora oedd gen i i Joni am ei siâr o *Cymru'r Plant*, er nad oedd ganddo fo ddim diddordab ynddyn nhw. Ond dydi o ddim ots gen i, o ddifri. Mae hanas 'Y ddau hogyn rheiny' yn werth dipyn mwy na marblan. Willie a Bobbie ydi'u henwa nhw. Fe fydda Mam yn meddwl 'mod i'n angal 'tasa hi'n gorfod byw efo'r ddau yna.

Y stori amdanyn nhw'n mynd â Titw'r gath i'r capal un bora Sul ydi un o'r rhai gora. Roedd Bobbie wedi'i chuddio hi o dan ei gêp, ond pan oedd y pregethwr ar ganol darllan pennod, dyna hi'n rhoi naid o'u sêt nhw i'r sêt fawr ac yn glanio ar ysgwydd un o'r blaenoriaid, a hwnnw'n gweiddi, ''Randros fawr, be sy 'na, bobol?' Dydw i ddim yn meddwl y bydda pobol Hermon yn gweld y peth yn ddigri o gwbwl, a 'taswn i'n gneud rwbath tebyg mi fyddwn i'n cael fy nhorri allan o'r capal. Ond dydi o ddim ots gan rheina be wnân nhw, ac mae pawb yn madda iddyn nhw am bob dim.

Dydd Sadwrn, Ebrill 7

Mae 'na ddarn o graig wedi syrthio ar Richard Morris, tad Laura Penybryn, ac maen nhw wedi gorfod torri ei goes o i ffwrdd yn sbyty'r chwaral. Fe fydd Mam bob amsar yn ei alw wrth ei enw iawn, ond Dic Potiwr ydi o i bawb arall, er na fyddan nhw'n meiddio deud hynny yn ei glyw o. Fo ydi'r cwffiwr gora welodd Tom erioed, medda fo. Ond mae o'n ddyn clên, ac fe fydd yn arw arno fo rŵan, yn methu symud o'r tŷ ac yn gorfod diodda Catrin Morris, ei wraig, o fora tan nos.

Mae Now yn deud y caiff Dic fenthyg coes bren o sbyty'r chwaral ac y bydd o'n ôl yn y King's Head cyn pen dim. Dydw i ddim yn meddwl fod ganddo fo fawr o obaith dŵad i lawr allt Penybryn. Fe fu Joni a finna'n ymarfar heno, efo coes brws llawr o dan un gesal, ond fedron ni neud dim ohoni, hyd yn oed ar y gwastad, ac rydan ni'n dau'n gleisia i gyd.

Mae gen i rwbath pwysig i'w ddeud heno.

Roedd Nhad wedi mynd i'w wely a Mam a finna'n ista o boptu'r tân, yn glyd braf, pan ddaeth Tom adra o Fangor, wedi bod yn gwrando ar Lloyd George yn Neuadd y Penrhyn. Siarad yn erbyn y rhyfal yn Ne Affrica oedd o, ac fe ddaru wylltio rhai pobol yn gacwn wrth ddeud fod y Boers yn llawar gwell pobol na'r rhai sy'n cwffio yn eu herbyn nhw. Roedd 'na andros o helynt wedi bod yno, ffenestri wedi'u malu, a Lloyd George wedi cael ei daro yn ei ben wrth iddo fo adal.

'Yr hen gnafon amharchus iddyn nhw,' medda Mam.

'Mae Robat Jôs Gwich yn deud ma'n y jêl dyla fo fod,' medda finna.

Er mai Robat Jôs sy'n deud, nid y fi, tafod iawn ges i gan Tom, a siars i beidio deud y fath beth byth eto.

'Be w't ti'n da i lawr mor hwyr, p'un bynnag?' medda fo, fel 'tasa fo'n methu aros i gael fy ngwarad i.

Pan ddeudis i 'mod i wedi gwlychu'n doman wrth gerddad adra o Ysgol Glanogwen, lle'r oedd 'na ddyn yn dangos llunia o'r Transvaal efo Magic Lantarn, dyna fo'n deud, a sŵn digalon yn ei lais, 'Be sy 'nelo ni â fan'no?

Mae 'na ddigon o angan brwydro ar ein tir ein hunain.'
''Nei di 'nysgu i i gwffio, Tom?' medda finna. Ddylwn i
ddim fod wedi gofyn hynny o flaen Mam, ond ro'n i am
iddo fo wbod 'mod i'n barod i sefyll efo'r dynion pan
fydd angan.

'Dw i'n methu meddwl!' medda hi. 'Ffwrdd â chdi i dy
wely a chofia adrodd dy badar.'

Do'n i ddim yn debygol o anghofio, a finna wedi
pechu yn erbyn Mam a Tom. Ond dydw i ddim tamad
gwell o fod wedi'i hadrodd hi, nac o fod wedi sgwennu
yn hwn.

Dydd Iau, Ebrill 19

Wedi bod yn sôn am Iesu Grist yn datod tafod ac agor
clustia'r dyn mud a byddar oedd Mathew Jones yn y
Gymdeithas heno. Pan holodd o oedd gan rywun
gwestiwn, fel bydd o'n gneud bob nos Iau, mi rois i fy
llaw i fyny a gofyn, 'Wyddoch chi ym mha fis fydd
merchad yn siarad lleia, Mr Jones?' Fe edrychodd yn
sobor arna i a deud, 'Na wn i, wir, Ifan,' ond gwenu
wnaeth o pan ddeudis i, 'Yn Chwefror 'te, gan ma
hwnnw ydi'r mis byrra.'

Mi ces i hi gan Mam ar ôl cyrradd adra, fel 'taswn i wedi rhegi neu gymryd enw Duw yn ofar. 'Nid y capal ydi'r lle i hynna,' medda hi. 'A lle cest ti afael ar ryw hen lol fel'na, p'un bynnag?' Pan ddeudis i mai wedi'i ddarllan o yn *Cymru'r Plant* o'n i, fe ddaru fygwth taflu'r cwbwl i'r tân. Fe fydda wedi gneud hefyd, oni bai mai Mathew Jones ei hun oedd wedi'u rhoi nhw i mi. Mi fu ond y dim i mi â deud nad oedd hynna'n ddim byd o'i gymharu â be mae Bobbie a Willie'n ei neud a'i ddeud, ond ro'n i'n meddwl y bydda'n well i mi gau 'ngheg neu i'r tân fyddan nhw wedi mynd – Mathew Jones neu beidio.

Dydd Iau, Mai 17

Rydw i'n ôl eto. Mae'n rhaid i mi gael deud wrth rywun be ddigwyddodd heddiw. Nid rhywun ydi hwn, o ran hynny, dim ond darn o bapur, ond mae o'n well na dim.

Chwara sowldiwrs oedd Joni a finna. Ro'n i wedi'i gael o, reit yn ei dalcan, ond fe ddaru wrthod cymryd ei ladd, a chwyno nad oedd o'n deg ei fod o'n gorfod bod yn Boer bob tro.

'Pwy fydda isio sowldiwr efo dwy law chwith?' medda fi.

'Mi dw i'n well saethwr na chdi, y babi mam,' medda ynta.

Roedd o'n gofyn amdani. 'Tasa Tom wedi 'nysgu i i gwffio fel roedd o wedi addo fe fydda trwyn y Joni Mos 'na ddwbwl ei faint erbyn rŵan. Ond does gan Tom ddim amsar i mi. Mae o'n byw a bod efo Now, a'r ddau'n brolio fel maen nhw'n mynd i setlo'r Lord ryw ddwrnod – pryd bynnag fydd hynny. Cyn i mi allu rhoi cynnig arall arni, roedd Mam yno, a'i bysadd hi'n cau fel feis ar fy ngarddwrn i. Ollyngodd hi mo'i gafael nes ein bod ni'n y gegin. Dyna hi'n fy sodro i ar gadar ac yn deud nad ydi hi byth isio'n gweld ni'n chwara sowldiwrs eto.

'Ond mae Harri Tŷ Pen 'di mynd i gwffio'r Boers i'r Transvaal,' medda fi. 'Ac mae'r Lord yn mynd i roi lot o bres i Nel Tomos, ei fam, os caiff o 'i ladd.'

Mae Mam wastad wedi deud hogyn mor dda ydi Harri, ac os ydi o'n barod i fynd i gwffio o ddifri be sydd o'i le ar chwara sowldiwrs? Ond y cwbwl ddeudodd hi oedd, 'A faint ydi gwerth bywyd y cr'adur, tybad?' Dydi hi ddim yn deall, nac yn trio deall chwaith. Fe fydd gan Joni fwy o reswm fyth dros fy ngalw i'n fabi mam ar ôl heddiw.

Fyddwn i ddim wedi colli 'nhymar oni bai iddi ddeud pan o'n i ar fy ffordd i fyny'r grisia, 'Mae'n hen bryd i ti roi dy feddwl ar waith os w't ti am basio i'r ysgol fawr.' Ond doedd waeth iddi gael gwbod rŵan ddim mai i'r chwaral efo Nhad a Tom y bydda i'n mynd.

Dydd Gwener, Mai 18

Fe fu ond y dim i Tom fy nal i'n sgwennu neithiwr. Ches i ddim cyfla i guddio hwn cyn iddo fo stormio i mewn i'r llofft – dim ond ei wthio o dan y dillad gwely a thynnu rheiny drosta. Ro'n i wedi cael hen ddigon am un dwrnod, ac mi gymris arna 'mod i'n cysgu, ond fedrwn i ddim gorwadd yno a gwrando arno fo'n fy ngalw i'n shinach bach digywilydd nad ydi o'n gwbod pryd i gau ei hen geg fawr heb ddeud rhwbath i amddiffyn fy hun.

'Mi w't ti'n un da i siarad,' medda fi. ''Nes i ddim ond deud y gwir, fel gnest ti.'

Chymerodd o ddim sylw o hynny. Roedd o am i mi fynd lawr ar f'union i ymddiheuro i Mam, ond gwrthod wnes i. Mi dw i'n falch fy mod i wedi deud. Siawns na cha' i lonydd rŵan. Mi fydda'n dda gen i weithia 'taswn i mor dwp â Joni a Twm Mos. Maen nhw'n cael gneud fel mynnan nhw. 'Tasan nhw'n gwbod 'mod i'n sgwennu yn hwn, mi fyddwn i'n destun sbort go iawn. A wna i ddim eto chwaith. Rydw i am ei losgi o'r cyfla cynta ga' i, achos dim ond pobol fel pregethwrs a titsiars, sy'n meddwl fod ganddyn nhw rwbath gwerth ei ddeud, fydd yn cadw dyddiadur, a dydw i ddim yn bwriadu bod yr un o'r ddau.

Mae'r copi-bwc yn dal gen i. Ro'n i wedi aros dyddia er mwyn cael y lle i mi fy hun. Mi rois i goedyn ar y tân i'w gael o i fflamio. Dim ond gollwng gafael ar hwn oedd raid i mi, ac mi fydda'n lludw cyn pen dim – ond fedrwn i yn fy myw neud hynny.

Y broblem wedyn oedd meddwl lle i'w guddio fo'n y llofft. Golchi wynab petha'n unig y bydd Lisi Mos, ond mae glanhau Mam yn cyrradd pob twll a chornal. Mi ddois i o hyd i le gwerth chweil o dan y gist dderw lle mae'r blancedi'n cael eu cadw. Fe fydd yn saff yn fan'no, gan fod y gist yn rhy drom i Mam allu ei symud hi.

Yno mae o wedi bod ers hynny, ond rydw i wedi penderfynu ailddechra sgwennu ynddo fo, mor amal ag sy'n bosib. Dydi o ddim ots gen i am Joni na Twm Mos. Mi fedra i ddeud petha yma na fydda fiw i mi eu deud nhw wrth neb arall, ac mae hynny'n beth braf.

Mae Joni a finna wedi bod yn mynd â bwcedad o grwyn tatws i Adda Graig-lwyd bob Sadwrn ers wythnosa. Fi ddaru'i fedyddio fo'n Adda, am ei fod o mor arw am stwmp afal. 'Yr hen fochyn 'na' ydi o i John Huws. *Oedd* o, o ran hynny. Pan aethon ni draw heddiw, roedd y cwt yn wag a John Huws yn pwyso ar y wal yn cnoi baco. 'Lle mae Adda?' medda fi. 'Wedi mynd i le gwell,' medda ynta. 'Dyma chi rwbath i gofio amdano fo. Mi dw i wedi'i chwythu hi'n barod i chi.' A dyna fo'n estyn swigan mochyn i ni. 'Mi gewch ddŵad i'w weld o os liciwch chi,' medda fo wedyn, a phoeri jou o faco heibio i 'nghlust i. 'Dim diolch,' medda Joni a finna ar yr un gwynt.

Fe fyddan ni wedi bod yn falch o gael pledran unrhyw fochyn arall i'w defnyddio fel pêl, yn lle gorfod gneud y tro ar glytia wedi'u stwffio i hosan, ond roedd 'na rwbath o'i le mewn cicio darn o Adda o gwmpas y lle. Pharodd y swigan ddim yn hir, ac mi dw i'n falch o hynny.

Dydd Gwener, Hydref 19

Fe gawson ni ddydd Sul ganol 'rwythnos ddydd Merchar. Roedd y chwaral a phob siop wedi'u cau er mwyn i bawb gael mynd i'r cyfarfodydd yn y capeli a'r eglwysi i ddiolch am y cynhaea. Ro'n i'n meddwl yn siŵr fod Tom am herio Mam a gwrthod dŵad efo ni. Doedd gan chwarelwyr Braich y Cafn ddim byd i ddiolch amdano, medda fo. Ond dim ond estyn ei llyfr emyna o'r drôr ddaru Mam, a deud yn dawal bach, 'Mae bod yn fyw yn fawr ryfeddod, 'machgan i.'

Mynd o ddrwg i waeth mae petha'n y chwaral bob dydd, medda Tom. Roedd rhai o hogia Ponc Ffridd wedi cael eu sacio am ymosod ar un o'r contractors ac fe wrthododd y lleill weithio nes eu bod nhw'n cael eu lle'n ôl. Ond gorfod rhoi i mewn a mynd 'nôl at eu gwaith ddaru nhw, am fod y dyn 'na o'r India'n bygwth gneud 'run peth iddyn nhwtha.

Does dim rhaid i mi orfod meddwl am rwbath i'w ddeud heddiw. Mae'r 'rhyw ddwrnod' yr o'n i wedi hen flino clywad Tom a Now yn sôn amdano fo wedi cyrradd.

Gan Mam y ces i'r hanas. Roedd hi'n digwydd bod yn siop Bristol House pan ruthrodd Daniel Ellis i mewn a deud fod 'na andros o helynt wedi bod yn y chwaral, y dynion wedi bod yn taflu cerrig at Richard Hughes contractor a'i ddau fab ac wedi bygwth taflu Pierce stiward gosod i'r afon. Meddwl am Tom wnaeth hi'n syth bìn, medda hi. Pan ddeudodd Daniel Ellis fod y dynion ar eu ffordd i'r pentra yn canu 'Soldiers of the Queen' nerth esgyrn eu penna, fedra hi ddim dal heb ofyn, 'Ydi Tom efo nhw?', er ei bod hi'n gwbod yr atab. Roedd Daniel Ellis fel 'tasa fo'n falch o gael deud ei fod o, ac mor uchal ei gloch â neb. Yr hen brep! Mae o'n ormod o gachgi i sefyll efo'r dynion.

Fe ddechreuodd Mam grio, a deud y fath gwilydd oedd ganddi wrth weld hogyn iddi hi yn martsio ac yn canu rhyw hen gân Saesnag am sowldiwrs, fel 'tasa fo wedi gneud rhyw wrhydri mawr.

Allan â fi, gynta medrwn i. Fedra i ddim diodda gweld Mam yn crio. Roedd Tom a chriw o hogia wedi hel wrth y capal, ond doedd Now ddim efo nhw. Mae o wedi cael ei restio, a Jones Plismon wedi mynd â fo i'r loc-yp. Fe fydd yn y llys ym Mangor fory. Mae'r dynion am gymryd dwrnod i ffwrdd i fynd yno i'w gefnogi o a'r lleill.

Newid y system gontractio am waith cytundab oedd wedi achosi'r helynt. Do'n i ddim yn siŵr pa wahaniath oedd hynny'n ei neud, nes i Tom egluro i mi. Trefn chwysu mae o'n ei galw hi. Mae'r un sy'n cael cytundab yn gallu cymryd mantais ar y rhai sy'n gweithio'r fargan heb orfod gneud dim ei hun, a dydyn nhw fel chwarelwyr ddim yn mynd i ddiodda hynny. Pam dylan nhw? Dydi o ddim yn deg. Ond mae Tom yn deud nad oes 'na ddim tegwch i rai fel nhw heb orfod brwydro amdano fo. Ac fe fydd Mam yn teimlo'n falch ohono fo unwaith y daw hi i sylweddoli nad cwffio o ddewis mae'r gweithwyr, ond am mai dyna'r unig ffordd sydd ganddyn nhw o ennill eu hawlia.

Dydd Mawrth, Tachwedd 6

Chafodd Now mo'i roi'n jêl C'narfon, er bod Robat Jôs Gwich wedi bod yn bygwth wrth geg Lôn Pab neithiwr mai yno y bydda fo a'r lleill, yn cadw'r lle'n gynnas i Lloyd George a Watkins y beili. Mae o'n gorfod mynd yn ei ôl i'r llys wythnos nesa, ond dydi o'n poeni dim am hynny.

Roedd Tom yn deud fod 'na gannoedd yn sefyll y tu allan i'r llys, a bod William Jones wedi eu canmol nhw i'r cymyla. Mae hi'n fraint cael cynrychioli chwarelwyr Pesda'n y Senadd yn Llundan, medda fo. Roedd o'n ei deud hi'n arw fod ynadon Bangor wedi rhoi caniatâd i'r Pen Gwnstabl Ruck alw milwyr i mewn, ac mae o am neud bob dim fedar o i gael eu gwarad nhw. Mi fyddwn i wedi rhoi'r byd am gael bod yno, a martsio adra wedyn heibio i giatia Castall Penrhyn yn canu emyna a'r gân Saesnag am sowldiwrs na fedar Mam mo'i diodda.

Fe aeth Nhad i'r chwaral, fel arfar, a ddaru o na Mam ddim sôn gair am yr helynt na holi sut aeth petha.

Dydd Mercher, Tachwedd 7

Ond roedd y Mr Young 'na wedi cael gwbod y cwbwl. A bora heddiw roedd 'na rybudd ar giât fawr y chwaral yn deud fod y rhai oedd wedi cymryd dwrnod i ffwrdd heb ganiatâd yn cael eu hatal rhag gweithio am bythefnos. Fe ddaru rhai fel Nhad a Daniel Ellis, nad oeddan nhw wedi bod yn agos i Fangor, adal efo nhw. Waeth gen i am Daniel Ellis, ond rydw i'n falch na ddaru Nhad ddim siomi Tom a'r lleill.

Dydd Mercher, Tachwedd 14

Mae'r wythnos yma wedi bod yn un sobor o hir. Roedd Mam wedi siarsio Tom a finna i beidio sôn dim am y chwaral. Fe ddaru hi drio perswadio Nhad i fynd am dro, ond aeth o ddim pellach na'r giât. Ista wrth y tân y buo fo y rhan fwya o'r amsar, a Mam yn glanhau o'i gwmpas. Welson ni fawr ar Tom. Mae o fel ci bach, yn dilyn wrth sodla Now Morgan i bob man. Dydi'r ddwy bunt o ffein gafodd hwnnw, a'r siars i beidio gneud peth tebyg eto, ddim ond wedi'i neud o'n fwy penderfynol, ond fe wnaiff yn siŵr na chaiff mo'i ddal y tro nesa, medda fo.

Mi es i lawr i'r pentra ddoe, a galw yn Bristol House i ddeud helô wrth Grace Ellis. Lwcus nad oedd Joni efo fi. Y peth cynta ddaru hi oedd holi, 'Wel, w't ti wedi gallu meddwl am rwbath i'w ddeud bellach?' Roedd Edward Ellis, tad Grace a Daniel, yn hofran wrth ymyl, a dyna fo'n gofyn, 'A be sydd gen ti i'w ddeud felly, Ifan?' 'Dim byd o werth,' medda fi, a rhoi winc ar Grace. Roedd hi'n ddigon call i beidio holi rhagor. Un glefar ydi Grace medda Mam, rhy glefar i fod yn gweini tu ôl i gowntar ac yn tendio ar ei thad a'i brawd. Doedd 'na ddim golwg o hwnnw. Yn y parlwr yn studio roedd o, mae'n siŵr, ac yn falch o gael esgus i beidio gorfod mynd i'r chwaral. Ond fedar Nhad a Tom ddim aros i fynd yn ôl.

Welas i 'run sowldiwr yn nunlla, gwaetha'r modd.

Dydd Sadwrn, Tachwedd 17

Doedd 'na ddim golwg o Joni bora 'ma. Wedi mynd i Fangor efo'i dad i weld y sowldiwrs oedd o, medda Jini Mos. Mi fydda'n dda gen i 'tasa hi heb ddeud hynny o flaen Mam.

Ches i fawr o synnwyr gan Joni pan ofynnas i sut rai oeddan nhw. 'Tebyg i Harri bach Tŷ Pen pan ddaeth o i ddeud ta ta wrthan ni cyn mynd i gwffio'r Boers, ond fod ganddyn *nhw* ynna,' medda fo. Ond mae'n rhaid fod Harri bach wedi cael gwn hefyd. Fedar o ddim cwffio'r Boers efo'i ddyrna.

Dydd Llun, Tachwedd 19

Y peth cynta welodd Joni a finna pan gyrhaeddon ni adra o'r ysgol heddiw oedd criw o ddynion wedi hel at ei gilydd wrth groesffordd capal Hermon. Fe aethon ni draw yno nerth ein traed i weld be oedd yn digwydd.

Dyna lle'r oedd Now Morgan yn sefyll ar ben y wal ac yn chwifio'i ddyrna yn yr awyr. Deud fod y Ruck 'na wedi dŵad â'r sowldiwrs i Fangor er mwyn dychryn pobol Pesda oedd o. Mae gan rheiny stoc o be maen nhw'n ei alw yn 'dum-dum bullets', sy'n cael eu defnyddio i saethu a lladd anifeiliaid gwylltion. 'Fe glywsoch chi Henry Jones, y llywydd, yn y cwarfod nos Sadwrn,' medda Now, a'i lais yn clecian fel chwip. 'Deud oedd o fod 'i waed o'n berwi wrth feddwl am y peth. Nid teigrod ydi'r chwarelwyr, ac nid eirth ydi'r gwragadd a'r plant.' Dydw i ddim yn nabod Henry Jones, ond mae'n rhaid ei fod o'n dipyn o foi i allu deud peth fel'na. Mae Now yn ei medru hi hefyd, gystal â'r un pregethwr, ond fydda 'na ddim croeso i un annuwiol fel fo yn y capal.

'Dynion sy'n ymladd am eu hiawndera ydan ni, nid bwystfilod,' medda fo wedyn. 'Mae'r peth yn gwilydd gwarth.' A dyna pawb yn gweiddi, 'Cwilydd' nerth eu

41

penna, hyd yn oed Joni, er nad oedd o wedi deall fawr o be oedd Now yn ei ddeud. Ond mi dw i'n deall, ac mae 'ngwaed inna'n berwi.

Dydd Mawrth, Tachwedd 20

Dydi Joni'n gallu meddwl am ddim ond chwara. Roedd o wedi anghofio 'mod i wedi deud fod yn rhaid i mi fynd adra'n gynnar gan fod Tom wedi addo ceiniog i mi am roi dwbin ar ei sgidia chwaral erbyn y bora. Mae Nhad wedi rhoi dwbin ar ei rai o ers dyddia ac maen nhw wrth y drws cefn, yn barod iddo fo gamu i mewn iddyn nhw bora fory.

Cyn i Joni allu dechra galw enwa arna i, dyna fi'n deud fod Tom wedi addo 'nysgu i i gwffio hefyd, fel fy mod i'n barod i sefyll efo'r dynion pan aiff petha'n ddrwg. Wn i ddim be fyddwn i'n ei neud 'tasa rhywun yn pwyntio gwn ata i chwaith.

'Yn jêl byddi di,' medda Joni. 'Ond chafodd Now ddim jêl, er ei fod o wedi rhoi waldan iawn i Richard Hughes contractor,' medda finna. 'Ac mi fydda Tom ac ynta wedi lladd y Thomas Ellis Penrhiw 'na 'tasan nhw wedi cael gafal arno fo.' Fe edrychodd Joni arna i a'i ben yn gam fel un blaenor, a deud fod lladd yn bechod yn ôl y Beibil. Mi rois i wybod iddo fo reit sydyn mai lladd pobol dda mae hynny'n ei feddwl, ond roedd o'n mynnu fod pawb yn ffrindia, rŵan fod y dynion yn mynd yn ôl at eu gwaith. Dim ond twpsyn fydda'n meddwl y fath beth. Pan ddeudis i nad oeddan nhw ddim ac na fyddan nhw byth, roedd o'n methu deall pam maen nhw'n mynd yn ôl felly. 'Rhoi un cyfla arall i'r Lord 'te,' medda fi. 'Os ydi o'n gwrthod gwrando arnyn nhw tro yma, mi fydd 'di canu arno fo.'

Pan gyrhaeddas i'r tŷ, mi es at y ffenast a sbecian i mewn. Roedd Mam wedi estyn y ddau dun bwyd ac yn eu rhwbio nhw efo'i ffedog, a Nhad yn cerddad o gwmpas y gegin, yn gwenu'n braf. Ro'n i wrth fy modd eu gweld nhw mor hapus, a mi dw i'n gobeithio y bydd y Lord yn fodlon gwrando, am unwaith.

Dydd Mercher, Tachwedd 21

Gwrthod ddaru o. Roedd Nhad yn ôl yn ei gadar pan ddois i o'r ysgol a Mam yn ista gyferbyn a'i dwylo'n llonydd ar ei glin. Pan ofynnas i be oedd wedi digwydd, dyna hi'n deud, 'Gofyn i dy frawd. Fydd o ond yn rhy falch o gael deud wrthat ti m'wn.'

Yn y cwt yng ngwaelod yr ardd yr oedd Tom, yn cadw'r arfa chwaral. Roedd ynta wedi gobeithio y bydda'r Lord o leia'n barod i drafod, ond pan aethon nhw'n ôl bora 'ma roedd wyth o boncia heb eu gosod a channoedd o ddynion heb fargeinion. Doedd 'na ddim byd amdani ond gadal, er i Nhad ddeud y galla'r Lord fforddio cau'r chwaral ond na fedra'r dynion ddim byw ar y gwynt, ac y dylan nhw gael gair efo Mr Young cyn gneud dim byd byrbwyll. Ond roedd pawb arall yn cytuno mai gwastraff amsar fydda hynny, a cherddad allan wnaethon nhw, a Nhad i'w canlyn, am nad oedd ganddo fo ddewis.

Dydd Iau, Tachwedd 22

Roedd Nhad wedi gadal rhai o'i arfa'n y chwaral ac fe aeth Tom draw yno i'w nôl nhw bora 'ma. Mae 'na rybudd ar y giât, medda fo, yn deud fod y chwaral ar gau a bod y gweithwyr i fynd â phob dim pia nhw odd'no cyn deuddag o'r gloch pnawn Sadwrn.

Rydan ni ar STREIC.

Er ei bod hi'n sobor o hwyr ar Tom yn dŵad adra neithiwr, roedd Mam ar ei thraed yn aros amdano fo. Mae'n rhaid fod Tom wedi deud rwbath i'w chynhyrfu hi. Anamal y bydd Mam yn codi'i llais, hyd yn oed pan fydd hi'n dwrdio, ond mi fedrwn i glywad bob gair. 'Biti garw na fasat ti wedi meddwl am dy dad cyn cymryd rhan yn yr hen helynt 'ma,' medda hi, a mynd ymlaen i ddeud na wydda hi ddim sut oedd Nhad yn mynd i allu dygymod â bod yn segur. Wn i ddim be oedd atab Tom, ond mi clywas i o'n deud nad oeddan nhw'n bwriadu ildio. 'Go dda chi,' medda fi'n dawal bach, ond fel ro'n i'n tynnu'r dillad gwely'n glòs amdana, dyna fi'n clywad Mam yn deud, 'Mae'r Lord dipyn cryfach na chi, Tom. Ac mae arnoch chi lawar mwy o angan y chwaral na fo.' Fedrwn i yn fy myw gnesu ar ôl hynny.

Dydd Llun, Tachwedd 26

Fedra i ddim peidio meddwl am be ddeudodd Mam. Dyn cry, i mi, oedd rhywun fel Samson, ddaru dynnu'r deml i lawr am ei ben, neu Ted Tarw, Tanybwlch, fydda'n mynd o gwmpas sioea erstalwm ac yn cael ei dalu am ddarn-ladd pobol a thorri'u hesgyrn nhw. Ond pres sy'n gneud y Lord yn gry. Does ganddon ni byth geiniog i sbario, er bod Nhad a Tom yn gweithio hynny fedran nhw. Os ydi'r Lord yn darllan ei Feibil – ac mae hyd yn oed eglwyswrs yn gorfod gneud hynny – siawns nad ydi o wedi gweld yr adnod sy'n deud ei bod hi'n haws i gamal fynd drwy grai nodwydd nag i ddyn cyfoethog fynd i'r nefoedd.

Dydd Sadwrn, Rhagfyr 1

Joni ddaru 'mherswadio i i fynd lawr i'r stesion heddiw i weld rhai'n cychwyn am y Sowth. Fydda Mam ddim callach, medda fo Roedd y lle'n llawn dop, a phawb yn canu 'O fryniau Caersalem'. Fyddwn i ddim yn teimlo fel canu 'taswn i'n gorfod gadal cartra, reit siŵr. Pan ddaethon nhw at 'yn nofio mewn cariad a hedd', mi fedrwn i glywad Robat Jôs Gwich yn gweiddi y dyla fod gan y dynion gwilydd troi eu cefna ar y Lord ac na chân' nhw byth well mistar, ond chymeron nhw ddim sylw ohono fo.

Fe fydda rhywun yn meddwl mai'r Huw Mos 'na sy'n rhedag y lle, er mai dim ond gwas bach ydi ynta. Dim rhyfadd fod Twm Mos fel mae o. Prin fod y trên wedi stopio nad oedd o'n hysio pawb i mewn ac yn clepian y drysa ar eu sodla nhw.

Roedd Joni am aros nes i'r trên adal, ond fedrwn i ddim diodda rhagor.

Doedd Mam ddim callach, ond mi dw i'n difaru i mi fynd yn agos i'r lle.

Dydd Llun, Rhagfyr 3

Y Sadwrn tâl dwytha oedd yr un gwaetha fuo erioed. Chafodd Nhad a Tom ddim ond chydig o syllta am bythefnos o waith. Lwcus eu bod nhw wedi bod yn talu'r pres Undab.

Mae W. J. Parry, Coetmor Hall, a chriw o rai er'ill, wedi agor be maen nhw'n ei alw'n Gronfa Gynorthwyol, i helpu'r rhai sydd ar streic. Mae Mr Parry yn ddyn pwysig iawn yn Pesda, ac yn ffrindia efo pobol fel Lloyd George a William Jones. Ond fedar o ddim diodda'r Lord, ac fe gafodd ffrae efo hwnnw adag y streic ddwytha, dair blynadd yn ôl. Dyn busnas ydi o, nid chwarelwr, ond mae Tom yn deud ei fod o'n deall yn iawn sut maen nhw'n teimlo a'i fod o'n barod i neud bob dim fedar o drostyn nhw.

Mae'r sowldiwrs i gyd wedi gadal Bangor. Diolch i Dduw wnaeth Mam pan glywodd hi hynny, ond diolch i William Jones am gael eu gwarad nhw wnes i. Doedd dim o'u hangan nhw a'u 'dum-dum bullets' yn Pesda, ond mae'n biti 'mod i wedi colli'r cyfla i weld sowldiwrs go iawn.

Dydd Sul, Rhagfyr 9

Chawson ni ddim ymarfar canu ar ôl yr Ysgol Sul heddiw am fod Isaac Parry wedi mynd i ffwrdd i ganu efo'r côr. Maen nhw'n cynnal consarts ar hyd y lle ym mhob man er mwyn hel pres i'r Gronfa.

Mae 'na ddega o ddynion yn gadal Pesda ar y trên bob dydd i chwilio am waith. Hen dric gwael ydi codi pac fel'na a gadal i bobol er'ill gwffio drostyn nhw.

Dydd Mercher, Rhagfyr 12

Dydi Nhad rioed wedi bod yn un am siarad, ond fe fydda Mam a Tom a finna'n gneud i fyny am hynny. Rŵan, rydan ni fel 'tasa ganddon ni ofn agor ein cega. Swpar chwaral ydi'r adag waetha. Wn i ddim pam yr ydw i'n dal i'w alw fo'n swpar chwaral chwaith, a ninna ar streic. Fedra i ddim aros i Nhad orffan gofyn bendith er mwyn cael llowcio 'mwyd a gadal y bwrdd.

Heno, ro'n i wedi clirio 'mhlât cyn bod y lleill hannar ffordd drwyddi. Fedrwn i ddim diodda gwrando ar y sŵn cnoi, a gweld Nhad yn ffidlan efo'r bwyd fel 'tasa fo ddim yn bwriadu'i fwyta fo, a dyna fi'n gofyn, 'Newch chi ddeud y stori am Twm bach yn rhegi'r stiward, Nhad?'

Rhythu arna i ddaru Mam, a deud fy mod i wedi'i chlywad hi ganwaith. Ond roedd y drwg wedi'i neud, a doedd waeth i mi ddal ati ddim.

49

'Un waith eto,' medda fi. 'Mi ga i fod yn Twm bach a chitha'n stiward.'

Dyna Nhad yn gwthio'i blât o'r neilltu ac yn deud, gan ddynwarad Roberts, stiward gosod, sy'n meddwl fod yr haul yn codi ac yn machlud efo fo,

'Rydw i'n deall fod Mr Young wedi'ch cynghori chi i ymddiheuro i mi, Thomas Jones.'

Mi godas inna ar fy nhraed a chymryd arna dynnu 'nghap.

'Ydi, Mr Robaits. Ydach chi'n cofio i mi ddeud wrthach chi bora 'ma am fynd i'r diawl?' medda fi, gan swnio 'run ffunud â Twm bach.

'O, ydw, Thomas Jones, yn cofio'n iawn,' medda ynta.

'Wel, does dim isio i chi fynd yno wedi'r cwbwl.'

Fe ddechreuodd Tom biffian, a'r munud nesa roeddan ni'n dau yn ein dybla'n chwerthin, fel byddan ni cyn y cloi allan. Mi ddigwyddas i edrych ar Mam, ac roedd golwg wedi dychryn arni hi.

'Twm bach ddaru ddeud wrth Robaits y bydda'r Bod Mawr wedi rhoi bachyn yn ei ben ôl o 'tasa fo wedi bwriadu iddo fo dynnu'r wagan 'te,' medda Tom.

Dydw i ddim wedi gallu chwerthin fel'na ers misoedd. Rydw i'n cofio mynd lawr i'r pentra efo Tom un nos Sadwrn. Gwrando ar y Salfesh yn canu yr oeddan ni pan ddaeth Daniel Ellis a Laura Penybryn i sefyll efo ni. Agorodd o mo'i geg, ond roedd Laura'n gwbod y geiria i gyd ac yn morio canu efo nhw. Ac mi glywas i hi'n deud wrth Daniel Ellis wrth i ni adal fod canu fel eli, yn gneud i rywun anghofio hen betha cas. Mae chwerthin yn gallu gneud hynny hefyd.

Ddeudodd Mam 'run gair, dim ond clirio'r llestri, mynd â nhw drwodd i'r gegin gefn, a chau'r drws arni ei hun. Biti am hynny. Chlywodd hi mo Nhad yn sôn am yr hwyl oedd i'w gael yn y chwaral ac yn deud, a gwên ar ei wynab, 'Does 'na nunlla tebyg ar wynab daear.'

Dydd Sadwrn, Rhagfyr 15

Mae petha'n debycach i fel roeddan nhw yn tŷ ni, a does dim rhaid i mi fod ofn sôn am y chwaral. Dyna'r cwbwl mae Nhad yn ei neud drwy'r dydd. Mae o'n siŵr y bydd y dynion i gyd yn ôl yno cyn y gwanwyn. Ond mae Tom yn ei chael hi'n anodd credu hynny. Doedd aeloda pwyllgor yr Undab ddim gwell o fod wedi mynd yr holl ffordd i Lundan i drafod cwynion y gweithwyr, medda fo. Ddaru'r Lord ddim dangos ei drwyn yno, ond roedd y Mr Young 'na mor styfnig â mul, a dydi o ddim yn fodlon ildio modfadd na newid dim ar y telera.

Roedd Tom wedi addo rhoi gwers focsio i mi bora

'ma, ond pan oeddan ni'n cychwyn i fyny am Danybwlch, allan o olwg Mam a Joni, pwy ddaeth i'n cyfarfod ni ond Now Morgan a Dei ei frawd. Ro'n i'n meddwl yn siŵr y bydda'n rhaid i mi ddeud ta ta wrth y wers. Does dim angan i Now ond codi'i fys bach, ac fe fydd Tom yn gadal pawb a phob dim.

Roedd Now mewn cythgam o hwyl ddrwg, a'r graith sydd ganddo fo ar ei dalcan yn plycio fel yr andros. Ei fam oedd wedi mynnu ei fod o'n mynd i ddanfon Dei i'r stesion. Pan ofynnas i lle'r oedd o'n cychwyn, Now atebodd. 'I'r Sowth,' medda fo, 'a gwynt teg ar 'i ôl o a phob cachgi bach arall sy'n barod i droi cefn ar ei gydweithwyr.' Roedd Dei yn edrych fel 'tasa fo wedi bod yn crio, ond falla mai'r gwynt oedd yn gneud i'w lygaid o ddyfrio. I ffwrdd â'r ddau, Now yn taflu'i draed i bob cyfeiriad ac yn mwmblan siarad efo fo'i hun, a Dei yn llusgo ar ei ôl fel ci wedi cael cweir.

Fe gafodd Tom a finna lonydd wedyn. Roeddan ni ar ein ffordd adra pan gyrhaeddodd Now yn ei ôl, yn dal yr un mor ddrwg ei dymar. Wnaeth o ddim loetran, diolch byth. Roedd ei fam wedi cael pwl ofnadwy o sterics wrth i Dei adal, ofn iddo fo gael gwely tamp a'i lwgu gan hen betha'r Sowth 'na, a fedra fo ddim aros i gael deud wrthi y dyla hi ddiolch fod ganddi un mab oedd â digon o asgwrn cefn i sefyll ei dir.

Dydd Iau, Rhagfyr 27

Roedd pawb yn trio cymryd arnyn nad oedd y gwylia ddim gwahanol i arfar, ond dydi Dolig ddim yn Ddolig heb blwm pwdin. Chafodd Mam ddim cyfla i baratoi un.

Pan fydd hi'n mynd ati i neud ei gwaith, fe fydd Nhad yn gofyn, 'Oes raid i chi neud hynna rŵan, Elen?' a hitha'n gadal y cwbwl ac yn gorfod ista yno am hydoedd yn gwrando arno fo'n sôn am Fraich y Cafn. Er fy mod i wrth fy modd yn clywad am y chwaral, mi fydda inna'n cael digon weithia, ac mae gen i biti dros Mam.

Dydd Sadwrn, Rhagfyr 29

Mae'r dynion i gyd wedi cael papura pleidleisio i ddeud a ydyn nhw'n derbyn neu'n gwrthod telera Mr Young a'r Lord. Fe fu Nhad yn syllu'n hir ar ei bapur o cyn rhoi croes ar 'yn erbyn', a soniodd o 'run gair am y chwaral heno.

1901

Dydd Mawrth, Ionawr 1

Arhosodd Mam a Nhad ddim ar eu traed neithiwr. Doeddan nhw ddim ond yn rhy falch o weld cefn yr hen flwyddyn. Finna hefyd. Gobeithio y bydd hon yn well. Mi fydd, ond i bawb dynnu efo'i gilydd. Mae Now yn mynnu na fydda neb call yn cytuno i dderbyn telera'r Lord. Fe wylltiodd yn gacwn pan ddeudodd Tom nad oes 'na ddim coel ar bobol, a'i bod hi'n bosib y bydd nifar ohonyn nhw'n fodlon derbyn y telera. A dyna fo'n gweiddi fod collad arno ynta, yn meddwl y galla fo ddibynnu ar fab Robert Evans. Fe ddaru hynny 'ngwylltio inna. 'Be am Dei chi a'r lleill, yn codi pac yn lle aros yma i gwffio?' medda fi. Wnes i ddim aros i glywad ei atab o, dim ond sgrialu am y tŷ.

Dydd Iau, Ionawr 3

Rydan ni wedi ennill! Mae 'na 1,077 wedi pleidleisio dros wrthod y telera, ond dim ond 77 dros dderbyn. Roedd Tom yn deud fod Now Morgan yn benderfynol o gael allan pwy ydi'r adar duon sydd wedi'n bradychu ni, ond be 'di'r ots? Maen nhw wedi cael cythgam o gweir. Y cwbwl ddeudodd Nhad pan glywodd o'r newydd oedd, 'Allan y byddwn ni, felly.'

Dydd Gwener, Ionawr 4

Pan oedd Joni a finna ar ein ffordd o'r ysgol heddiw, dyna Joni'n deud rwbath dan ei wynt, yn neidio dros ben clawdd, ac yn melltennu ar draws y cae. 'Faswn i ddim yn trio hynna 'taswn i chdi,' medda llais yn fy nghlust i. Mi ddylwn i fod wedi sylweddoli nad oes 'na neb yn tynnu'n groes i Now Morgan heb orfod diodda am hynny. Ond er fy mod i'n crynu drosta, ac angan mynd i'r tŷ bach yn sobor, do'n i ddim am adal iddo fo, mwy na neb arall, droi arna i heb neud ymdrach i f'arbad fy hun. 'Wnes i ddim ond deud y gwir,' medda fi. 'Cachgi – dyna ddaru titha alw'r Dei 'na 'te?'

Ro'n i'n meddwl yn siŵr ei bod hi wedi darfod arna i pan welas i o'n codi'i ddwrn. Ond dim ond dyrnu'r awyr ddaru o a deud, 'Dyna ydi o hefyd, a phob un wan jac ohonyn nhw.' Roedd o wedi bwriadu dysgu gwers i mi, medda fo, am fod â gormod i'w ddeud o f'oed, ond ro'n i wedi profi fod gen i'r plwc sydd ei angan i sefyll dros yr hyn yr ydw i'n ei gredu.

Mae'n ddrwg gen i rŵan 'mod i wedi deud petha cas am Now, ac mi dw i'n falch ein bod ni'n deall ein gilydd. Ond mêt ar y naw ydi'r Joni Mos 'na. Dydi hwnna'n da i ddim i neb. Am fynd draw i tŷ ni i ddeud fod Now Morgan am fy narn-ladd i oedd o, medda fo, ond fe ddaru faglu ar ei hyd wrth groesi'r cae a tharo'i ben nes ei fod o'n gweld sêr. Mae ganddo fo lwmp fel wy ar ei dalcan. 'Mi fydda'n well 'tasat ti wedi aros lle'r oeddat ti,' medda fi. 'Dydw i ddim tamad gwaeth. A paid ti â meiddio 'ngalw *i*'n fabi mam byth eto.'

Roedd ganddo fo'r wynab i ofyn oedd gen i awydd mynd i ffair Pesda efo fo fory. Deud wrtho fo am stwffio'i ffair wnes i. Does 'na ddim diban mynd i le felly efo pocad wag.

Dydd Mercher, Ionawr 23

Mae'r frenhinas wedi marw. Fictoria oedd ei henw hi. Roedd hi'n byw yn Llundan, mewn clamp o dŷ efo walia mawr o'i gwmpas, fel Castall Penrhyn.

Roedd syr wedi rhoi llun ohoni uwchben ei ddesg a rhuban du drosto fo. Doedd hi ddim i weld yn hapus, er bod ganddi'r holl bres. Edward, ei hogyn hyna hi, fydd y brenin rŵan, ac mae o wedi gorfod aros yn sobor o hir.

Mae Mam yn deud ei bod hi'n ddynas agos i'w lle ond na fuo hi byth yr un fath ar ôl colli'i gŵr, er bod hwnnw wedi marw ers pedwar deg o flynyddodd. Roedd hynna'n andros o amsar hir, a does dim rhyfadd ei bod hi'n edrych mor ddigalon.

Dydd Iau, Ionawr 24

Roedd Joni wedi bod yn moedro ymlaen am y frenhinas am oria. 'Deud wrth bobol er'ill be i neud oedd hi 'te,' medda fi, pan ofynnodd o be oedd hi wedi bod yn ei

57

neud am yr holl amsar. 'Run fath â'r Lord, ond ei bod hi'n bwysicach o lawar.' 'Argol fawr,' medda fo, a'i lygaid fel dwy sosar, 'be fydda'n digwydd 'tasan nhw'n gwrthod?' Fe aeth yn wyn fel y galchan pan ddeudis i y byddan nhw'n siŵr o gael eu crogi, a dydi o ddim wedi sôn gair am y frenhinas wedyn, diolch am hynny.

Dydd Sadwrn, Chwefror 2

Syniad Mam oedd y dyla Tom a finna fynd i'r cyfarfod cofio'r frenhinas yng nghapal Bethesda. Fe fydda wedi mynd ei hun, ond doedd hi ddim am adal Nhad. Mae hi'n dal i orfod rhoi'r gora i'w gwaith ar ei hannar, ond rŵan nad ydi o'n sôn dim am y chwaral does ganddo fo ddim byd i'w ddeud, ac mae gen i fwy fyth o biti drosti.

Fe ddaeth Now i lawr i'r pentra efo ni, ond roedd yn well ganddo fo fynd i yfad iechyd da i'r brenin newydd yn y King's Head. Mae hwnnw'n rêl boi, medda Now, ond doedd ei fam ddim yn meddwl rhyw lawar ohono fo. Dyna pam y daliodd hi ati mor hir – ofn iddo fo neud stomp o betha.

Roedd Mr Parry, Coetmor Hall, yn ei chanmol hi'n arw yn y cyfarfod ac yn deud ei bod hi'n fam dda. 'Y rasusaf frenhines Fictoria' oedd o'n ei galw hi. 'Y gryduras fach' ydi hi i Mam, a 'hen fursan' i Now. Wn i ddim be i feddwl, ond dydi'r ffaith ei bod hi wedi mynd a'i hogyn hi'n cymryd drosodd ddim yn mynd i neud unrhyw wahaniath i ni yn Douglas Hill.

Heno oedd y tro cynta i mi glywad organ go iawn. Harmoniwm sydd ganddon ni yn Hermon a honno'n cwyno ac yn gwichian fel 'tasa hi'n brifo drosti. Dyna be oedd sŵn! Roedd o'n codi cur yn fy mhen i, ac mi fedrwn deimlo'r llawr yn crynu dan fy ngwadna. Mae'n well gen i'r harmoniwm, fel mae hi.

Dydd Gwener, Chwefror 15

Roedd heddiw bron cystal â dwrnod Dolig er nad oedd y plwm pwdin gawson ni ddim 'run blas na'r un ogla ag un Mam. Ches i 'run tair ceiniog gwyn chwaith, ond mae'n siŵr fod hynny'n ormod i'w ddisgwyl. Rhyw gwmni o Loegar oedd wedi gyrru tair tunnall o'r pwdin yn bresant i bobol Pesda. Roedd Robat Jôs Gwich wedi bod wrthi drwy'r dydd ddoe yn cario'r tunia o'r stesion i'r neuadd. Fe gawson nhw eu danfon wedyn i wahanol ranna. Pan glywson ni fod siâr Douglas Hill wedi cyrradd, fe aeth Tom draw i nôl tun. Roedd o'n deud fod 'na hen ffraeo yno, a rhai'n dadla y dylan nhw gael dau dun am fod ganddyn nhw ragor i'w bwydo.

Ro'n i'n meddwl fod y bobol 'ma wedi bod yn ffeind iawn, ac mai'r ffordd ora i ddiolch iddyn nhw fydda i ni fwyta bob tamad. Ond doedd Nhad ddim wedi cyffwrdd ei bwdin o. Pan ddeudodd Mam ei fod yn gysur gwbod fod dieithriaid fel'na'n meddwl amdanon ni, dyna fo'n gwthio'i blât o'r neilltu ac yn deud, 'Nid cardod i ddyn, ond gwaith.' Mae'n biti gwastraffu bwyd a hwnnw mor brin, ac mi ofynnas i gawn i ei siâr o. 'Cei â chroeso,' medda fo.

Mae gen i andros o boen bol, ond fiw cwyno neu mi fydd Mam yn deud mai dyna sydd i'w gael am fod yn farus. Er 'mod i'n gwbod na fydda Nhad yn fodlon derbyn 'run geiniog heb weithio amdani, dydw i ddim yn meddwl ei fod o'n iawn tro yma. Cael y plwm pwdin yn bresant ddaru ni, heb ofyn amdano fo, ac mae hynny dipyn gwahanol i fynd o gwmpas y lle yn begian c'lennig, dim ond am ddeud 'hapi niw ïar'.

Rydw i wedi bod yn dysgu salm pedwar deg chwech, 'Duw sydd noddfa a nerth i ni', ar gyfar y cyfarfod darllan. Mae hi'n llawn o eiria anodd fel 'cyfyngder' ac 'ymchwydd' a 'preswylfeydd'. Dydi deud geiria heb wbod be maen nhw'n ei feddwl yn da i ddim, ac mi ofynnas i Mam eu hegluro nhw i mi. Mae gneud hynny fel goleuo lamp ym meddwl rhywun. Bod mewn twll heb fedru dŵad allan ohono fo heb gael help ydi 'cyfyngder', 'ymchwydd' ydi afon Ogwen yn llifo dros ei glanna ar ôl glaw mawr, a dydi 'preswylfeydd' yn ddim ond gair arall am lefydd i fyw.

Mae Daniel Ellis, Bristol House, wedi dechra pregethu, a dydi o ddim yn mynd i briodi Laura Penybryn. Fe fydda Tom yn gneud gwell cariad iddi o lawar, ond dydw i ddim yn meddwl ei fod o isio neb ond Grace. Falla fod Daniel Ellis yn teimlo nad ydi Laura'n ddigon da i fod yn wraig gweinidog am fod Dic Potiwr, ei thad, yn byw ac yn bod yn y King's Head, a'i mam hi'n rêl ceg ac yn tynnu pawb yn ei phen. Ond dydi hynny ddim yn deg. Roedd Tom yn deud fod Laura'n ddigalon iawn a bod Grace o'i cho, gan fod y ddwy gymaint o ffrindia. Os daw'r Daniel 'na i bregethu i Hermon rydw i am gymryd arna 'mod i'n hel annwyd er mwyn cael aros adra.

Dydd Mawrth, Mawrth 12

Amsar swpar heno, dyna Mam yn deud fod 'na fudd gyngerdd yng nghapal Jerusalem nos Wenar. Consart i hel pres i rywun sy'n sâl neu wedi brifo ac yn methu gweithio ydi hwnnw. 'I bwy 'lly?' medda Tom, wrthi'n cnoi hynny fedra fo. Fe fu bron iddo fo dagu ar y bwyd pan ddeudodd Mam, 'Richard Morris, Penybryn.' Dechra chwerthin wnaeth o wedyn, a deud fod rhywun wedi bod yn tynnu'i choes hi ac na fydda rhai fel John Williams Cae'r-berllan, sy'n ben blaenor yn Jerusalem, byth yn fodlon cynnal consart i helpu ryw sgamp meddw fel Dic Potiwr.

Ond roedd Mam o ddifri calon. Syniad Grace Ellis oedd o, medda hi, er mwyn trio arbad rywfaint ar Laura. Dydyn nhw'n cael 'run geiniog o'r Undab gan fod Richard Morris wedi gwrthod ymuno, ac mae Laura wedi bod yn rhoi'r cwbwl o'r cyflog mae hi'n ei gael yng Nghastall Penrhyn i'w mam. Fe fu clywad mai syniad Grace oedd y consart yn ddigon i sobri Tom, ond ysgwyd ei ben ddaru o pan ddeudodd Mam, 'Dim ond gobeithio y bydd hyn yn fodd i ddŵad ag un ddafad afradlon yn ôl i'r gorlan.' Dyna fydd hi'n galw'r capal. Ro'n i'n sâl isio chwerthin wrth ddychmygu gweld John Williams yn dŵad o hyd i Dic Potiwr yn y King's Head, yn ei daflu dros ei ysgwydd, ac yn ei gario'r holl ffordd i Jerusalem fel y bugail yn nameg y ddafod golledig. Ond lwcus na wnes i ddim, neu mi fyddwn i wedi cael tafod gan Mam am neud sbort o betha crefydd.

Dydd Iau, Mawrth 28

Waeth i mi sgwennu yn hwn ddim. Does gen i ddim byd gwell i neud. Mae Joni wedi bod yn rhedag adra o'r ysgol o 'mlaen i bob dydd, a dydi o ddim yn dangos ei drwyn tan bora drannoeth. Mi fedrwn i ddeall 'tasan ni wedi cael ffrae, ond dydan ni ddim. Dafydd a Jonathan fydd Mam yn ein galw ni, gan ein bod efo'n gilydd rownd y rîl. 'Be w't ti wedi'i neud i bechu Joni?' medda hi gynna. 'Dim byd,' medda fi. 'Mae'n rhaid dy fod ti 'di gneud rwbath,' medda hi wedyn. Dydi Lisi Mos ddim wedi bod draw yma ers dyddia chwaith. Fi sy'n cael y bai am hynny hefyd, mae'n siŵr.

Dydd Sadwrn, Mawrth 30

Mae'n ddigon 'mod i'n gorfod deud 'ma'n ddrwg gen i' ar fy mhadar am rwbath neu'i gilydd drwy'r amsar heb gymryd bai ar gam. Dyna pam es i draw i dŷ Joni. Roedd y drws wedi'i gau'n dynn a wyddwn i ddim be i neud. Fedrwn i ddim gweiddi 'fi sy 'ma' a cherddad i mewn fel bydda i'n arfar, ond fedrwn i ddim gadal heb wbod pam chwaith. Curo ar y drws wnes i, er na fydd neb ond Trench, y dyn rhent, yn gneud hynny yn Llwybrmain.

Ro'n i wedi cyfri i fyny i ddeg yn ara bach, ac yn meddwl be i neud nesa, pan agorodd y drws ryw fymryn. Lisi Mos oedd yno, ond doedd hi ddim byd tebyg iddi hi'i hun. Dyna hi'n rhythu arna i fel 'tasa hi ddim yn fy nabod i ac yn gofyn, 'Be w't ti isio?' 'Isio gwbod be dw i 'di neud i Joni chi,' medda fi.

'Nôl â hi i'r gegin a 'ngadal i'n sefyll yno. Ro'n i ar gychwyn adra pan ddaeth Joni allan ata i â golwg ci lladd defaid arno fo. Fe ddaru fynnu ein bod ni'n mynd i'r cwt ieir yng ngwaelod yr ardd, rhag ofn i rywun glywad, ac yno y buon ni am hydoedd. Roedd o wedi bod isio deud wrtha i ers dyddia, medda fo, ond wydda fo ddim sut.

Pan ddois i adra, dyna Mam yn crychu'i thrwyn ac yn

gofyn, 'Be 'di'r drewdod 'na?' 'Joni a fi sydd wedi bod yn llnau'r cwt ieir,' medda fi. Roedd hynny'n ddigon i neud iddi anghofio'r ogla. 'Ac mae o 'di madda i chdi, felly,' medda hi. Ro'n i isio deud mai fi sydd wedi madda iddo fo, ond fydda hi ddim ond yn holi rhagor, ac rydw i wedi gorfod addo i Joni na sonia i 'run gair wrth neb.

Dydd Gwener, Ebrill 5

Ro'n i'n arfar meddwl fod gwbod rhwbath nad oes 'na neb arall yn ei wbod yn beth braf, ond dydi o ddim. Mi dw i'n teimlo fel 'taswn i'n mygu weithia. Pan o'n i'n sâl ac yn methu cael fy ngwynt, fe fydda Mam yn deud wrtha i am roi dau fys i lawr fy nghorn gwddw. 'Mi fyddi di'n well ar ôl cael y gwenwyn 'na i fyny,' medda hi. Ac ro'n i hefyd, yn llawar gwell. Ond fedra i ddim cael gwarad o hwn. Dydw i'm am addo dim i neb byth eto.

Dydd Mercher, Ebrill 10

Ro'n i wedi bod yn osgoi Tom ers dyddia, ofn y bydda fo'n ama fod 'na rwbath o'i le ac yn dechra fy holi i'n dwll, ond fe ddaeth o hyd i mi yn y cwt. 'Be w't ti'n neud yn swatio yn fan'ma ar noson mor braf?' medda fo. 'Tyd, mi awn ni am dro bach.' Doedd gen i ddim mymryn o awydd symud, ond pan ddeudis i y bydda hi'n amsar swpar toc a 'mod i'n llwgu, er nad o'n i ddim, dyna fo'n gofyn, 'Chest ti ddim cinio heddiw?' 'Dim ond hannar brechdan,' medda fi. 'Mi rois i'r hannar arall i Joni, ond mae o am roi un i mi yn 'i lle hi pan fydd 'i dad o wedi dechra gweithio.' Fedrwn i neud dim ond ysgwyd fy mhen pan ofynnodd Tom, 'Lle mae o'n mynd, felly? I'r Sowth?' Mi ddylwn fod wedi meddwl na fydda fo'n fodlon ei gadal hi ar hynny, ond ro'n i'n teimlo'n swp sâl pan glywas i o'n deud, 'Mae o am roi 'i enw yn y chwaral dydi, y cythral dau wynebog!' Fydda Joni byth yn madda i mi am dorri 'ngair. Ond roedd Tom yn mynnu na wnes i ddim, ac mai fo ddaru ddyfalu.

Trio plesio Tom, ac arbad chydig arna i'n hun yr o'n i, mae'n debyg, wrth frolio 'mod i wedi deud wrth Joni y bydda'n well i Dei Mos aros adra os nad ydi o isio cythgam o gweir. Do'n i ddim yn haeddu'r 'go dda chdi' na'r darn taffi, ac er 'mod i wedi cael gwarad â'r mygni a'r cyfog gwag, mae gen i gwilydd 'mod i wedi gallu deud celwydd fel'na heb droi blewyn.

Dydd Llun, Ebrill 22

Roedd 'na stori'n mynd o gwmpas ddechra'r mis fod yr helynt drosodd, ac y bydda pawb yn ôl wrth eu gwaith yr wythnos wedyn. Ond celwydd oedd hynny hefyd. Mae 'na fwy o ddynion yn gadal Pesda bob dydd, a rhai'n mynd â'u gwragadd a'u plant efo nhw.

Fe aeth petha'n ddrwg yn y King's Head nos Sadwrn rhwng Now ac un o'r hogia oedd yn arfar gweithio ar Bonc Twll Dwndwr pan gododd hwnnw ar ei draed i ganu 'Ffarwél i waith y Penrhyn'. 'Meddylia, mewn difri, Ifan,' medda Now, 'fod ganddo fo'r wynab i ddeud fod 'i galon o bron yn ddwy wrth ffarwelio â Braich y Cafn ac ynta'n cychwyn am y Sowth bora heddiw.' Ro'n i'n gobeithio fod Now wedi rhoi cweir iawn i'r hen shinach, ond doedd o ddim ond wedi deud wrtho fo am ei heglu hi o Pesda cyn iddo fo neud yn siŵr nad ei galon o'n unig oedd wedi torri'n ddwy. A dyna fydda fo wedi'i neud oni bai fod Jones plismon yn hofran tu allan a bod y gwely plu sydd ganddo fo adra'n llawar brafiach na styllan o goed yn y loc-yp.

Dydd Sadwrn, Mai 11

Mi es i lawr i'r pentra heddiw i weld modryb Jane. Mae hi a Dafydd Lloyd wedi symud i'r Waterloo, ac mae Mam yn deud y bydda Nain druan yn troi yn ei bedd 'tasa hi'n gwbod fod Jane yn cadw tafarn. Ond dydw i erioed wedi gweld tu mewn i dafarn, ac ro'n i'n meddwl falla fod gen i siawns ennill ceiniog neu ddwy am neud beth bynnag sydd i'w neud mewn lle felly. Mi ges i geiniog am sgubo'r iard, ond fe fydda Mam am ei gwaed hi, medda modryb Jane, 'tasa hi'n fy ngadal i mewn i dŷ'r diafol. Gwenu ddaru Dafydd Lloyd, a deud fod hwnnw o leia'n edrych ar ôl ei weision.

Wrth i mi adal, pwy welas i ond Dic Potiwr, ar ei ffordd i'r King's Head. 'Brawd bach Tom Llwybrmain w't ti 'te', medda fo. 'Hogia iawn ydi Now a fynta. Mi faswn i yno efo nhw yn chwalu plu'r adar duon oni bai am yr hen goes 'ma.' Dyna fo'n rowlio'i drowsus i fyny i'w dangos hi i mi. Mae hi fel coes go iawn, dim ond ei bod hi wedi'i gneud o bren. Mynnu mynd ei ffordd ei hun mae hi weithia, medda fo, yn enwedig i lawr yr allt, ond fe aeth â fo drwy ddrws y King's Head heb unrhyw draffarth.

Dydd Gwener, Mai 24

Mynd yn ôl i weithio'n y chwaral yn slei bach un ben bora ddaru Dei Mos. Mae gen i biti dros Joni, ond sut medra i fod yn ffrindia efo mab i fradwr?

Roedd Tom wedi fy rhybuddio i i beidio sôn dim wrth Now, rhag ofn y bydda Dei Mos yn newid ei feddwl, ond fydd o fawr o dro cyn cael gwbod fod un o'r adar duon yma yn Llwybrmain. Mae 'na griw ohonyn nhw'n hel at ei gilydd wrth St Ann fin nos, medda fo, ac yn meddwl eu bod nhw'n saff yng nghysgod yr Hen Fam. Ond rŵan fod y Mr Young 'na wedi deud eto fod y chwaral i gael ei hailagor, fe fydd yn rhaid iddyn nhw adal eu nythod a'u dangos eu hunain yng ngola dydd.

Heddiw ydi'r dwrnod mawr, dwrnod ailddechra gweithio o ddifri, er bod 'na rai fel Dei Mos wedi gallu sleifio'n ôl heb i neb eu gweld. 'Dydd barn chwarelwyr Bethesda' ddaru Isaac Parry ei alw fo'n y cyfarfod gweddi neithiwr. Fe aeth Tom a Now i lawr i'r pentra ben bora – i roi croeso i'r bradwyr, meddan nhw, ond doedd gen i ddim gobaith perswadio Mam i adal i mi fynd efo nhw. Fydda waeth i mi ofyn am y lleuad ddim. Mi ga i'r hanas i gyd gan Tom, medda fo, ond dydi hynny ddim 'run peth â bod yno.

Roedd hi'n hwyr iawn ar Nhad yn cyrradd adra neithiwr. Ro'n i'n meddwl y bydda Mam o'i cho, a hitha wedi bod yn poeni cymaint yn ei gylch o, ond doedd hi ddim ond yn rhy falch o'i gael o'n ôl yn saff.

Mi wn i na ddyla rhywun wrando ar sgwrs pobol er'ill, ond 'tasa Mam a Nhad yn gwbod 'mod i'n swatio ar ben grisia bora 'ma, fyddwn i ddim callach be ddigwyddodd neithiwr. Doedd Nhad ddim wedi bwriadu mentro cyn bellad â Bryn Llwyd, medda fo, ac mi fedrwn i ddeud wrth ei lais ei fod o'n difaru mynd. Be alla fod yn waeth na gweld rhai oedd yn arfar gweithio efo fo yn cludo'u harfa i'r chwaral, fel lladron yn y twllwch? Ond yr hyn ddaru 'nychryn i oedd clywad Mam yn gofyn a fydda fo'n ystyriad mynd yn ôl, ac yn deud y bydda hi'n fodlon iddo roi ei enw os mai dyna'i ddymuniad o. A ddaru ynta ddim trio gwadu, dim ond deud, 'Mi fydda'n dda calon gen i petai hynny'n bosib, Elen.'

Does gen i ddim awydd sgwennu rhagor. Fedra i ddim credu y galla Mam, a hitha mor filan efo Judas am fradychu Iesu Grist, fod yn fodlon i Nhad droi ei gefn ar y dynion. Ac mi fydda'n well gen i lwgu na bod yn fab i fradwr.

Dydd Mercher, Mehefin 12

Doedd 'na fawr o hwyl ar Tom pan ddaeth o'n ôl o'r pentra ddoe. Ches i wbod fawr mwy na bod 'na griwia mawr wedi hel wrth Pont Tŵr a Choed y Parc, y merchad yn hwtio ac yn chwythu cregyn, a phawb yn bloeddio, 'Bradwyr! Cynffonwyr! Judasys!' wrth i'r adar duon fartsio heibio am y chwaral.

Roedd gan Tom friw ar ei dalcan – rhywun wedi taflu carrag ac ynta'n sefyll yn ei ffordd hi, medda fo. Fe aeth draw i Bristol House at Grace Ellis i gael golchi'r gwaed

rhag ofn i Mam ddychryn. Ond fydda dim rhaid iddo fo
fod wedi poeni. Y cwbwl ddeudodd hi pan welodd hi'r
briw oedd, 'Dyna sydd i'w ga'l'.

Dydd Iau, Mehefin 13

Hen beth cas, falla, oedd deud wrth Tom fod Mam
wedi bod yn annog Nhad i gynnig ei enw, ond ro'n i wedi
digio wrthi hi. Tafod ges i am brepian, ac am fod mor
hurt â meddwl am eiliad y bydda Nhad yn gneud y fath
beth.

Mi ges i ragor o hanas gan Now. Er mai dim ond 77
oedd wedi pleidleisio dros dderbyn y telera, roedd 'na tua
400 o ddynion wedi mynd yn ôl i'r chwaral fora dydd
Mawrth. Y peth gwaetha o'r cwbwl, medda Now, oedd
gweld rhai o hogia Ponc Twll Dwndwr, oedd wedi tyngu
llw adag y cloi allan nad aen nhw ddim yn ôl am bris yn
y byd, yn eu canol nhw. Ond doedd 'na fawr ddim fedra
fo 'i neud ar y pryd, gan fod y lle'n fyw o blismyn. Does
ganddo fo ddim tamad o ofn rheiny, ond mae'n bwysig ei
fod o'n cael ei draed yn rhydd er mwyn gallu dial ar yr
adar duon.

Dydd Mawrth, Mehefin 18

Chydig yn ôl, fydda Nhad ddim yn symud o'i gadar, ond rŵan mae o'n diflannu am oria bob dydd. Fydd Mam byth yn gofyn lle mae o'n mynd na phryd bydd o'n ôl. Mae Tom wedi cynnig mynd efo fo fwy nag unwaith, ond deud mae hi fod yn well ganddo fo fod ar ei ben ei hun er mwyn cael llonydd i gofio petha fel roeddan nhw. Dydi o ddim fel 'tasa fo'n malio dim am y tywydd. Fe gafodd drochfa neithiwr. Mae'i ddillad o wedi'u taenu ar hors o flaen y tân a'r gegin yn stêm i gyd, ac ynta'n ôl yn ei gadar yn aros iddyn nhw sychu er mwyn iddo fo gael mynd i hel ei draed eto.

Dydd Llun, Mehefin 24

Pan ddois i o'r ysgol pnawn 'ma, roedd Tom yn ista ar wal yr ardd. Chymerodd o ddim sylw ohona i, dim ond gofyn lle oedd Mam. 'Sut dylwn i wbod?' medda fi, er bod gen i syniad go dda, a'i heglu hi am y tŷ.

Yno y buo fo am hydoedd, yn rhythu i lawr y lôn. Roedd gen i hen deimlad annifyr ei fod o mewn hwyl ffraeo, ac ro'n i'n iawn. Pan gyrhaeddodd Mam, un o'r petha cynta ofynnodd o oedd lle oedd hi wedi bod, er ei fod o'n siŵr o fod wedi'i gweld hi'n gadal tŷ Joni. Wedi cadw'n dawal fyddwn i, ond dydi Mam ddim yn un i osgoi atab. Wedi bod draw yn helpu Lisi Mos efo'r golchi oedd hi, medda hi, gan nad ydi'r gryduras hannar da. A dyna Tom yn deud, a'i lais a'i wrychyn yn codi, mae 'i chydwybod oedd yn poeni Lisi Mos ac na fydda fo'n gneud dim i'w helpu hi, nac yn torri gair efo hi na'r un o'i theulu. Wna inna ddim chwaith, ond chymerwn i mo'r byd â gweiddi ar Mam fel'na, allan ar y lôn yng nghlyw pawb. Fedrwn i ddim diodda rhagor, a'r peth ola glywas i wrth gychwyn am y llofft oedd Mam yn deud, 'Mi siarada i efo pwy mynna i, Tom.'

Dydd Sadwrn, Gorffennaf 6

Ar Joni roedd y bai, er iddo fo ddeud wrth Mam mai fi ddaru ddechra'r helynt drwy alw enwa ar ei dad. Fyddwn i ddim wedi gneud hynny 'tasa Joni heb fynnu cael gwbod pam nad o'n i'n fodlon siarad efo fo. Dim ond twpsyn fydda'n gofyn cwestiwn mor wirion, ond gan ei fod o gymaint o bot llaeth doedd gen i ddim dewis ond deud. A be wnaeth o? Gweiddi nad ydi 'nhad i ddim hannar call a'i fod o'n crwydro o gwmpas y lle am oria yn mwmian wrtho'i hun.

Mi fyddwn i wedi'i lempio fo 'tasa Mam heb ein gweld ni â'n dyrna i fyny ar ganol y lôn, a chamu rhyngddon ni. Pan gafodd hi wbod be oedd Joni wedi'i ddeud am Nhad, dyna hi'n ei alw fo'n hen gena bach ac yn ei hel o am adra. Fel roedd o'n sgrialu i ffwrdd, dyna finna'n bloeddio nerth esgyrn fy mhen, 'Mi ca i di am hynna eto, Joni Mos.'

Ond er fy mod i wedi bod yn barod i gwffio hyd waed dros Nhad, fi sydd wedi'i chael hi waetha. Yma yn y gwely yr ydw i, pan ddylwn i fod yn martsio drwy'r stryd fawr am y neuadd efo Tom a Now a'r lleill, yn canu 'Hidiwch befo'r plismyn / Mae'r ffordd yn rhydd i bawb', ac yn galw'r bradwyr yn bob enw dan haul. Dydi o DDIM YN DEG . . .

Dydd Sul, Gorffennaf 7

Fedrwn i ddim sgwennu rhagor neithiwr, gan fod min y bensal wedi torri wrth i mi roi pwysa arni hi. Ro'n i wedi

gwylltio cymaint fel y medrwn i fod wedi rhwygo'r copi-
bwc 'ma'n ddarna, ond mi dw i'n falch na wnes i ddim.
Does gen i neb arall i siarad efo fo.

Mi es i lawr ben bora i nôl cyllall o'r drôr er mwyn
rhoi min ar y bensal, ond roedd Mam yno o 'mlaen i.
'Bydd yn ofalus rhag ofn i ti dorri dy fodia,' medda hi.
'Mae honna wedi gwisgo'n bwt.' Does 'na fawr ohoni ar
ôl rŵan, ond mi fydd yn rhaid iddi neud y tro.

Ro'n i wedi gwylltio mwy fyth pan ddeudodd Tom fod
'na filoedd yn martsio o Dŷ'n Tŵr at 'Rallt Isa ac yn ôl i'r
neuadd neithiwr, ac yn cario baneri efo 'Byddwch
ffyddlon i'ch cydweithwyr' a 'Nid oes bradwr yn y dyrfa
hon' arnyn nhw. Does gan Joni ddim hawl bod yno, rŵan
fod Dei Mos wedi troi'n fradwr, ond mae gen i hawl.

Dydd Mawrth, Gorffennaf 9

Mae pawb yn Llwybrmain, heblaw Dei a Lisi Mos,
wedi rhoi cardia'n y ffenestri a'r geiria 'Nid oes bradwr
yn y tŷ hwn' arnyn nhw. Prawf o'n teyrngarwch ni ydi o,
medda Tom, ffordd o ddangos ein bod ni'n ffyddlon ac
yn driw i'n gilydd. Ond dydi Mam yn hidio dim am y
cerdyn. Er nad ydi o fawr o faint, mae hi'n deud ei fod

o'n dwyn hynny o ola sydd 'na ac yn taflu'i gysgod dros
y gegin. Ond wn i ddim be fyddwn i'n ei neud 'tasa
ganddon ni ffenast wag fel un Joni.

Dydd Sadwrn, Gorffennaf 13

Mae Now wedi dysgu cân newydd, 'Punt y gynffon', i
mi. Pan aeth y bradwyr yn ôl i'r chwaral, roedd y Lord
yno'n eu croesawu nhw ar Bonc Red Leion. Deg darn ar
hugain gafodd Judas am fradychu Iesu Grist, ond sofran
felan gafodd bob un o'r adar duon. Andros o gân dda ydi
hi hefyd, ond y pennill yma ydi'r un gora:

O! mor werthfawr yw cymeriad!
Does â'i pryn holl aur y cread;
Deill yr hollfryd brynu dynion –
Fe eill sofren brynu cynffon.

Chwerthin wnes i y tro cynta i mi ei chlywad hi. Roedd
Now yn ddig efo fi, meddwl 'mod i'n gneud sbort o'i
ganu o, ond chwerthin ddaru ynta pan ddeudis i 'mod i'n
dychymygu eu gweld nhw'n loncian am y chwaral fel
bydd gwarthag Graig-lwyd ar eu ffordd i'r beudy, a'u

cynffonna'n siglo'n ôl a blaen i gadw'r pryfad i ffwrdd. Dydw i ddim yn gweld y peth yn ddigri o gwbwl erbyn rŵan.

Dydd Sul, Gorffennaf 28

Roedd Mam wedi paratoi'r cwbwl ddoe, fel arfar, ac mewn hwylia da am fod Nhad wedi dŵad adra cyn iddi d'wllu, a dim angan iddi edrych ar y cloc bob dau funud. Am y tro cynta ers misoedd, fe ofynnodd i mi os oedd gen i adnod yn barod at y bora. Mae hynny'n dangos ei fod o'n teimlo'n well. Nid un adnod oedd gen i, ond stribad ohonyn nhw, ac roedd Nhad wedi'i blesio'n arw. Wn i ddim pryd welas i o'n gwenu fel'na ddwytha.

Er pan ddeudodd Joni nad ydi Nhad hannar call, rydw i wedi bod yn methu byw yn fy nghroen, ofn iddo fo gael ei yrru i'r seilam. I fan'no yr aethon nhw â nain Ned Tanybwlch, a welodd neb mohoni byth wedyn. Colli'i gŵr oedd wedi deud arni, medda Mam. Fe fydda'n crwydro o gwmpas yn chwilio amdano fo, ac yn gofyn i bawb, 'Ydach chi wedi gweld Gwil bach?' Ond mi fedras i syrthio i gysgu'n syth bìn neithiwr gan fod Nhad gymaint gwell.

Sŵn gwydyr yn torri ddaru 'neffro i. Dyna fi'n neidio allan o'r gwely ac yn rhuthro am y ffenast. Er mai dim ond rhyw hannar lleuad oedd 'na, roedd hynny'n ddigon i mi allu gweld Tom a Now yn sefyll gyferbyn â thŷ Joni. 'Yr hwn sy'n ddieuog, tafled y garreg gyntaf' oedd testun pregath Mathew Jones yn Hermon Sul dwytha. Dydi o'm tamad o ots gan Now be mae'r Beibil yn ei ddeud, ond fedar Tom ddim peidio cymryd sylw ac ynta'n byw efo Mam. Ond mae o wedi'i thaflu hi rŵan, ac mae Mam yn siŵr o fod yn ama. Ddaru hi ddim hyd yn oed fy nghanmol i am adrodd yr adnoda heb yr un camgymeriad, a doedd heddiw ddim byd tebyg i arfar.

Dydd Mawrth, Gorffennaf 30

Wn i ddim be ddeudodd Mam wrth Tom, a fiw i mi ofyn. Ond mae'n ddigon hawdd gweld ei bod hi wedi digio wrtho fo, a dydi ynta ddim yn rhy glên efo hitha chwaith. Anamal iawn y bydd Nhad yn mynd allan rŵan, ond dydi o ddim fel 'tasa fo efo ni er ei fod o yma.

Mae 'na rai cannoedd o'r dynion ddaru ddianc odd'ma a gadal i bobol er'ill gwffio drostyn nhw wedi dŵad adra a gneud andros o helynt. Roeddan nhw wedi ymosod ar y plismyn oedd yn danfon y bradwyr o'r chwaral. A rŵan mae Pesda'n llawn o sowldiwrs. Roedd 'na ryw ddyn pwysig o'r Sowth yn siarad yn y cyfarfod neithiwr, medda Tom. Mae o'n ama mai'r Lord sydd wedi deud fod gan y rhai sy'n gweithio'n y chwaral ofn am eu bywyda, ac wedi mynnu fod y Ruck 'na'n dŵad â'r sowldiwrs yma.

Doedd Tom ddim am sôn gair wrth Mam am y sowldiwrs, ond mae hi wedi cael gwbod, a cha i ddim mynd yn agos i'r pentra. Fe fydd y dynion ddaru achosi'r helynt yn ei heglu hi odd'ma eto toc, heb fod ddim gwaeth. Ond maen nhw wedi gneud petha'n llawar gwaeth i ni fydd ar ôl.

Dydd Gwener, Awst 9

Mae Dei Mos a'i deulu wedi gadal, y ffenast wedi'i thrwsio, a phobol newydd wedi symud i mewn. Mi glywas i Tom yn deud wrth Mam mai wedi mynd i nythu efo'r adar duon yn Nhregarth maen nhw. Pitïo oedd Mam na fydda hi wedi cael deud ta ta wrth Lisi a nhwtha wedi bod gymaint o ffrindia, ond roedd ganddi ormod o gwilydd, medda hi. Does gen i ddim mymryn o gwilydd, a pitïo yr ydw i na fyddwn i wedi setlo'r Joni 'na cyn iddo fo hel ei draed am Dregarth.

Dydd Mawrth, Awst 13

Dyma'r gwylia cynta i mi heb Joni. Rydw i'n gorfod gneud y tro ar gwmpeini Ned Tanybwlch. Er na fyddwn ni byth yn ffraeo nac yn cwffio, dydan ni'n cael fawr o hwyl.

Dydd Iau, Awst 15

Ista ar ben wal yn meddwl be i neud oedd Ned a finna pan welson ni Now yn brasgamu tuag aton ni. 'Faint o ffenestri w't ti 'di torri erbyn rŵan, Now?' medda fi, gan roi winc arno fo. 'Cau dy geg a meindia dy fusnas,' medda fynta. Roedd y graith ar ei dalcan yn plycio fel 'tasa hi'n fyw o gynhron. A dyna fo'n dechra galw Tom yn bob math o enwa, a gweiddi nad oes 'na'r un o'n teulu ni yn werth eu halan. Fe fydda wedi deud llawar mwy 'tasa Isaac Parry heb ddigwydd dŵad heibio. Ar wahân i Mam, Isaac Parry ydi'r unig un sy'n gallu rhoi taw ar Now, a hynny heb godi'i lais na bygwth. 'Dyna ddigon rŵan, Now,' medda fo, a'r munud nesa roedd y ddau ohonyn nhw'n diflannu i lawr y lôn.

Roedd Ned yn crynu fel deilan. 'Dydi hwnna ddim hannar call,' medda fo. 'Fo ddyla fod yn seilam, nid Nain.' Fedrwn i ddeud 'run gair, dim ond ista yno a'r geiria 'ddim hannar call' a 'seilam' yn mynd rownd a rownd yn fy mhen i, fel tôn gron.

Diafol mewn croen ydi'r Now Morgan 'na. I feddwl 'mod i wedi cadw'i ran o, a gweld bai ar Tom. Gobeithio y rhon nhw o yn jêl C'narfon y tro nesa caiff o'i ddal, a thaflu'r goriad i afon Seiont.

Dydd Gwener, Awst 16

Mi es i draw i tŷ pella heddiw i ddiolch i Isaac Parry am roi caead ar bisar Now Morgan ac am beidio mynd i brepian wrth Mam. Roedd o wrthi'n sgwennu mewn rhyw lyfr bach â châs du. 'Aros am funud i mi gael gorffan llenwi'r dyddiadur 'ma,' medda fo. Dyna'r tro cynta i mi weld dyddiadur go iawn. Wyddwn i ddim fod 'na'r fath beth i'w gael. Mae'n rhaid fod Isaac Parry wedi sylwi 'mod i'n syllu'n galad, a dyna fo'n gofyn, 'Fasat ti'n leicio cael golwg arno fo?' Fyddwn i ddim yn fodlon i neb ddarllan fy nyddiadur i, ond doedd o ddim i weld yn malio o gwbwl.

Roedd pob tudalan wedi'i rhannu'n saith, efo'r dyddiad a'r dwrnod ar bob un, ac yn llawn o hanas y côr yn canu mewn llefydd nad o'n i erioed wedi clywad amdanyn nhw. Doedd 'na fawr o ddim byd arall yno, dim ond pwy oedd yn pregethu yn Hermon bob Sul. Nid Sul oedd o'n cael ei alw, ran hynny, ond Sab, am Sabath.

Dim rhyfadd nad oedd ots gan Isaac Parry i mi ei ddarllan o.

Dydd Llun, Awst 19

Mae Tom a Mam yn ffrindia unwaith eto. Wn i ddim be ddigwyddodd, ond mae o 'nelo rwbath â'r dyn Trench 'na sy'n hel y rhent. Mi gwelas i o'n gadal y tŷ pan o'n i ar fy ffordd yn ôl o Danybwlch. Wedi bod yn danfon Ned o'n i. Roedd o wedi rhwygo'i drowsus wrth ddringo coedan, ac yn meddwl falla y bydda'i fam o'n deud llai o drefn o 'mlaen i. Ond wnaeth hynny ddim gwahaniaeth, ac mi ddois i odd'no gynta medrwn i, rhag ofn bod Now o gwmpas. I mewn fydd Ned rŵan nes bydd y trowsus wedi'i drwsio, gan nad oes ganddo fo'r un arall.

Roedd 'na ôl crio mawr ar Mam. Wnes i ddim gofyn be oedd yn bod, a fydda hi ddim wedi deud wrtha i 'taswn i wedi gofyn. Ro'n i'n meddwl mai'r peth calla i neud oedd mynd i chwilio am Tom. Mae'n rhaid fy mod i wedi cerddad milltiroedd, a'r cwbwl i ddim. Pan gyrhaeddas i'n ôl, dyna lle'r oedd y ddau ohonyn nhw wrth y bwrdd yn yfad te fel 'tasa 'na ddim byd o'i le, ac allan â fi i chwilio am rywun arall i chwara efo fo.

Dydd Mercher, Awst 21

Rydw i wedi cael gwbod be ddigwyddodd, heb orfod holi. Roedd Tom yn teimlo y dyla fo egluro i mi, medda fo, rhag ofn fy mod i'n poeni. Ond do'n i ddim, unwaith gwelas i fod petha'n iawn rhyngddo fo a Mam.

Y Trench 'na oedd wedi bygwth ein troi ni allan o'r tŷ os na fydda Mam yn talu'r pedwar swllt oedd arni. Fe fydd hi'n cadw'r pres rhent mewn jwg ar y dresal bob amsar, ond doedd 'na ddim yn agos ddigon ynddo fo'r tro yma. Wedi'u rhoi nhw i Judith John Jeri oedd hi am na fedra hi ddiodda gweld y plant bach yn llwgu. Does 'na ddim ond chydig o wythnosa er pan ddaru John Jeri ei ladd ei hun. Roedd o wedi gofyn am ei waith yn ôl yn y chwaral, ond cael ei wrthod ddaru o. Llwfrgi oedd o, yn ôl Now, yn osgoi ei gyfrifoldab yn lle sefyll fel dyn, ond mae'n rhaid ei fod o'n sobor o ddigalon.

Dydi'r pres ddim yn mynd i bara'n hir, a fydd gan Judith a'r plant nunlla i fynd ond y Wyrcws. Dydw i ddim yn gweld bai ar Mam am eu rhoi nhw, ond yno y byddwn ninna hefyd os na fedrwn ni dalu'r rhent. Fe fyddwn ni'n iawn y tro yma, diolch i Tom. Roedd o wedi bod yn celcio pres, fesul ceiniog a dima a ffyrling, ac mae o wedi rhoi'r cwbwl i Mam. Ond be sy'n mynd i ddigwydd tro nesa? Os nad o'n i'n poeni cynt, mi rydw i rŵan.

Dydd Gwener, Awst 23

Mi ges i andros o fraw pan godas i bora 'ma. Doedd 'na ddim golwg o Mam. Ofn oedd gen i fod Nhad wedi bod allan drwy'r nos a hitha wedi mynd i chwilio amdano fo ac yn crwydro o gwmpas y lle yn holi pawb, 'Ydach chi wedi gweld Robat?', fel bydda nain Ned cyn iddyn nhw ei chartio hi i'r seilam. Ro'n i mor falch o'i weld o'n dŵad allan o'r siambar. 'Helô, Ifan, sut mae petha?' medda fo, fel 'tasa o heb fy ngweld i ers wythnosa. 'Iawn,' medda finna, er nad oeddan nhw'n iawn, o bell ffordd.

Wrthi'n meddwl be i neud nesa o'n i, pan ddaeth Tom i lawr y grisia ar wib a rhuthro allan drwy'r drws cefn. Mi fedrwn ei glywad o'n gweiddi, 'Be dach chi'n drio'i neud, Mam?' Roedd fy nghalon i'n curo fel gordd wrth i mi fynd i ddilyn Tom. Be 'tasa Mam wedi syrthio ac wedi bod yn gorwadd yno'n methu symud ers hydoedd a ninna'n tri yn diogi yn ein gwlâu? Ond dyna lle'r oedd hi yn sefyll wrth y cwt â chryman yn ei llaw. 'Lle mae'r garrag hogi, d'wad?' medda hi. 'Mynd i dacluso rywfaint ar yr ardd 'ma dw i. Mae hi'n ddolur llygad.'

Roedd gan Nhad bron gymaint o feddwl o'r ardd ag oedd ganddo fo o'r chwaral, ond doedd 'na ddim croeso i Tom a finna yno. Roeddan ni'n fwy o rwystr nag o help, medda fo. Ond dydi o ddim wedi bod yn agos yno ers y cloi allan, ac mae'r lle'n chwyn ac yn ddrain i gyd. Cymryd y cryman oddi arni wnaeth Tom a deud ei bod hi'n dipyn o hen wàg a'i fod o'n gwybod nad oedd hi'n bwriadu gneud y fath beth ei hun. 'Mi faswn i wedi gneud, 'tasa raid,' medda hitha, â sŵn chwerthin yn ei llais.

Pan welas i hi'n dŵad am y tŷ, yn ôl â fi i'r gegin nerth fy nhraed. Rydw i wedi cael tafod fwy nag unwaith am stelcian o gwmpas, yn gwrando bob dim. Ond chymerodd hi ddim sylw ohona i. Fedra hi ddim aros i gael deud wrth Nhad fod Tom am fynd ati i glirio'r ardd. Ond y cwbwl o ymatab gafodd hi oedd, 'Waeth heb â boddran' swta. Lwcus na chlywodd Tom mohono fo, neu fe fydda wedi rhoi'r ffidil yn y to cyn dechra. A fyddwn i ddim yn ei feio fo chwaith.

Dydd Gwener, Medi 6

Rydw i'n i'n falch fod y gwylia drosodd. Doedd Ned ddim am fentro dringo coed na neidio ffosydd na chwara sbonc llyffant, rhag ofn iddo fo rwygo'i drowsus eto. Ond dydi'r ysgol ddim fel bydda hi chwaith. Mae enwa Joni a'r lleill o blant bradwrs wedi'u croesi allan o'r register a'u desgia nhw'n wag. Un diarth ydi'r athro newydd, yn siarad Saesnag crand, a fydd o byth yn gwenu na'n herian ni, fel bydda'r hen syr. Yno i weithio yr ydan ni, medda fo, ac mae'n rhaid i ni feddwl am y dyfodol os ydan ni am neud rwbath ohoni. Rydw i wedi addo i Tom y bydda i'n dal ati, er mwyn plesio Mam, ond ddim ond nes bydd y streic drosodd. Falla bydd hi'n siomedig ar y dechra, ond fe ddaw ati'i hun cyn pen dim. Fe fydd wrth ei bodd yn clywad Nhad a Tom yn deud gweithiwr mor dda ydw i, ac yn rhoi brechdan dros ben yn y tun bwyd am ei bod hi mor falch ohona i.

Meddwl am hynny o'n i heddiw pan ddaru'r syr newydd weiddi yn fy nghlust i, 'You'll never get anywhere by dreaming, boy.' Ond mi wn i'n iawn lle'r ydw i'n mynd.

Mae'r sowldiwrs i gyd wedi gadal, a finna heb weld yr un ohonyn nhw.

Dydd Mercher, Medi 11

Mae Tom wedi bod wrthi'n yr ardd ers dyddia, yn chwys doman, a'i freichia fo'n sgriffiada i gyd. Yr unig beth sy'n ei gadw fo i fynd, medda fo, ydi cymryd arno mai'r adar duon ydi'r drain.

Ro'n i wedi bwriadu cynnig ei helpu o i gael eu gwarad nhw, ond pan gyrhaeddas i adra, dyna lle'r oedd Daniel Ellis yn llercian wrth dalcen y tŷ. Welodd o mohona i, diolch byth. Mi dw i'n cael digon ar glywad be ddylwn i neud neu beidio'i neud yn y capal heb orfod gwrando ar hwnna. Ond roedd Tom wedi'i weld, ac mi fedrwn i ei glywad o'n galw, 'Be w't ti'n 'i neud yma?' Wn i ddim be oedd yr atab, ond y munud nesa roedd Tom wedi gadal ei waith ac yn mynd i'w ddilyn o i fyny'r lôn.

Pa hawl sydd gan Daniel Ellis i ddisgwyl i bawb neud fel mae o'n deud? Wedi cael gormod o'i ffordd ei hun mae o. Rydw i'n cofio Tom yn sôn fel bydda fo'n sefyll ar graig yn 'rafon wrth Bont Tŵr i roi pregath iddyn nhw,

89

ac ynta'n gweiddi 'Amen' ar ei chanol hi, i'w gael o i gau
ei geg. Ond fedrodd o ddim gneud hynny heddiw.

Dydd Llun, Medi 23

Ro'n i wedi gobeithio y bydda Mam yn gadal i mi aros
adra o'r capal neithiwr gan fy mod i wedi bod yn
snwffian drwy'r dydd, ond roedd gofyn i ni i gyd fod yno
i gefnogi Daniel Ellis, medda hi. 'Dygwch feichiau'ch
gilydd' oedd testun ei bregath o. Dydi o erioed wedi
helpu neb i gario dim. Rydw i wedi clywad Mam yn deud
fwy nag unwaith na ŵyr hi ddim be fydda wedi dŵad o'r
tŷ na'r busnas yn Bristol House oni bai am Grace.

Fe fu'n pregethu am hannar awr, yn yr un llais diflas
o'r dechra i'r diwadd, ac mi fyddwn i wedi syrthio i
gysgu oni bai fod y blaenoriaid yn gweiddi 'Amen' bob
hyn a hyn. Dydi 'Amen' y capal ddim yn golygu cau dy
geg, fel un Tom wrth Bont Twr, gwaetha'r modd.

Roedd Mam yn ddistaw iawn ar y ffordd adra a
soniodd hi 'run gair am y bregath fel bydd hi'n arfar
neud bob nos Sul. Ond amsar swper, dyna hi'n gofyn i
Tom, 'Be oeddat ti'n feddwl o bregath Daniel?' Pan
ddaru Tom gyfadda nad oedd o wedi cael fawr o flas

90

arni, medda hi, 'Doedd ei galon o ddim ynddi, yn nag oedd? Wedi'i siomi am na chafodd o fynd i'r coleg mae o, mae'n siŵr.' Fedrwn i ddim credu 'nghlustia pan ddeudodd Tom fod Daniel yn bygwth rhoi'r gora i bregethu, ond twt twtio hynny wnaeth Mam a deud, 'Choelia i fawr! Y pulpud ydi 'i chwaral o 'te.'

Dyna, felly, oedd gan Daniel Ellis i'w ddeud pan alwodd o heibio'r diwrnod yr oedd Tom yn gweithio'n yr ardd. Dydw i ddim yn meddwl fod Tom yn ei gredu o chwaith, a fydda Edward Ellis byth yn gadal iddo fo roi'r gora iddi ac ynta wedi edrych ymlaen gymaint am gael bod yn dad i weinidog.

Dydd Mawrth, Hydref 1

Mae ganddon ni ryw lun o ardd eto, ac fe fedar rhywun weld ôl y rhesi bach taclus lle bydda Nhad yn plannu pob math o lysia, er eu bod nhw'n llanast o chwyn. Brwydr ofar oedd hi o'r dechra, medda Tom. Mae'r chwyn a'r drain wedi gwreiddio'n rhy ddwfn, a'r rheiny'n mystyn i bob cyfeiriad o dan y pridd. Dydi Nhad ddim wedi bod yn agos i'r ardd, na hyd yn oed wedi diolch i Tom am weithio mor galad yno.

Roedd Twm Mos, cefndar Joni, yn deud yn yr ysgol ddoe fod Joni a Beni wrth eu bodda yn Nhregarth, ac yn mynd i'r eglwys bob Sul. Fe ddeudodd hefyd y byddai Joni wedi rhoi cythgam o gweir i mi 'tasa Mam heb fy achub i. Dyna be ydi celwydd go iawn! Mae'n hen bryd i mi ei setlo fo, a chau ceg y Twm Mos 'na 'run pryd.

Dydd Gwener, Hydref 4

Does 'na neb yn cymryd fawr o sylw o ben blwydd yn tŷ ni. Fe fydda Nhad yn arfar deud rywdro ym mis Chwefror, 'Wel, mi dw i flwyddyn yn hŷn heddiw', ond pen blwydd Iesu Grist ydi'r unig un y byddwn ni'n ei ddathlu.

Do'n i'n teimlo ddim gwahanol bora 'ma, er fy mod inna flwyddyn yn hŷn, ond pan es i lawr i'r gegin dyna Tom yn deud, 'Argol, mi w't ti wedi heneiddio dros nos, Ifan!' ac yn rhoi ceiniog a dima i mi, yn gysur medda fo. Nid dyna'r cwbwl ges i. Roedd Mam wedi prynu pensal newydd sbon i mi, am fod sgolor fel fi yn haeddu gwell na rhyw bwt o bensal wedi treulio i'w bôn, medda hi. Ro'n i mor falch ohoni fel nad oedd ots gen i gael fy ngalw'n sgolor am unwaith, ond wna i ddim newid fy meddwl, hyd yn oed i blesio Mam.

Roedd fy sgrifan i wedi mynd yn rêl traed brain, ond mae hi'n werth ei gweld rŵan.

Dydd Sul, Hydref 13

Hwn oedd y dydd Sul gwaetha erioed. Rydw i wedi torri dau o'r deg gorchymyn, ac fe fydda 'na un arall yn shitrwns 'taswn i wedi cael llonydd.

Ro'n i wedi bod yn moedro 'mhen ers dyddia. Doedd *sut* i gael y gora ar Joni Mos ddim yn fy mhoeni i. *Pryd* oedd y broblem. Ond cyn mynd i gysgu neithiwr, mi ges i andros o syniad da, a fedrwn i ddim aros i gael ei rannu o efo Ned a'r lleill.

Fe fu ond y dim i'r cwbwl fynd yn ffliwt. Roedd yr Ysgol Sul wedi gorffan yn gynnar er mwyn i ni gael ymarfar canu 'Plant bach Iesu Grist' ar gyfar y cyfarfod Diolchgarwch. Mae Isaac Parry yn un anodd ei blesio ar y gora, a doeddan ninna ddim mewn hwyl canu. 'Neith hynna mo'r tro,' medda fo. 'Un waith eto.' Tra oedd o'n estyn ei fforch diwnio ac yn ei dal hi wrth ei glust, dyna fi'n sibrwd wrth y lleill, 'Gnewch sioe dda ohoni tro yma, neu fan 'ma byddwn ni.' A dyna wnaethon ni – bloeddio canu nerth ein cega nes bod y llawr yn crynu fel un capal

Bethesda pan oedd yr organ yn chwara'r 'Dead March'. Ein canmol ni ddaru Isaac Parry, er iddo fo ddeud wrtha i nad oedd angan gweiddi cymaint, a bod fy llais i i'w glywad drwy bawb. 'Teimlo'n hapus ydw i o gael deud 'mod i'n un o blant bach Iesu Grist, Isaac Parry,' medda fi. 'Chwara teg i chdi wir,' medda ynta. Cyn iddo fo allu gorffan deud, 'Ffwrdd â chi a chofiwch am yr ymarfar nos Fawrth', roeddan ni wedi'i heglu hi am y drws.

I lawr Ffordd Lloyd â fi nerth fy nhraed a'r hogia'n fy nilyn i. Ond pan gyrhaeddon ni eglwys St Ann, roedd drws y festri wedi'i gau a dim golwg o neb. Ro'n i'n meddwl 'mod i wedi colli'r cyfla i setlo Joni Mos, pan glywson ni sŵn yn dŵad o'r festri. Roeddan nhw'n dal yno! Mae'n siŵr fod gan blant eglwyswrs fwy o bechoda i gyfadda na neb arall. Fe fuon ni'n swatio tu ôl i'r clawdd am sbel, yn aros iddyn nhw orffan adrodd 'Our Father'. Pan welson ni'r drws yn agor a Joni a Beni yn rhuthro allan ar y blaen i bawb, dyna fi'n gweiddi, 'Rŵan hogia'. Cyn i'r ddau gael siawns i ddianc, roeddan ni wedi cau'n gylch amdanyn nhw a finna'n camu ymlaen, yn barod i roi cweir i Joni Mos na fydda fo byth yn ei hanghofio.

Doedd gen i ddim awydd sgwennu rhagor neithiwr. Fe fydda'n well 'taswn i wedi rhoi waldan iawn i Joni'n syth bìn yn lle gwastraffu amsar yn eu galw nhw'n blant y diafol a dychryn Beni allan o'i groen drwy ddeud mai i'r tân mawr i gael eu rhostio'n fyw y bydd rheiny'n mynd. Ond roedd hynny'n well na dim, debyg.

Cyn i mi fedru codi 'nyrna, roedd clochydd St Ann yn gafael yn fy ngwar i ac yn fy martsio i am adra. Yr hen blant eglwyswrs 'na oedd wedi rhedag i brepian. Roedd o'n hwffian a phwffian, ac fe fu'n rhaid i ni stopio sawl tro wrth ddringo'r allt er mwyn iddo gael ei wynt ato. Ond roedd ganddo fo ddigon yn weddill i allu deud wrth Mam y dyla fod ganddi gwilydd ohona i. Fe ddyla fod ganddo ynta gwilydd o'i glamp o fol hefyd, â phobol yn llwgu o'i gwmpas o.

Mae Mam yn deud fy mod i wedi dwyn gwarth arnon ni fel teulu, yn cwffio ar y Sul o bob dwrnod. Fyddwn i ddim wedi torri'r ddau orchymyn 'Anrhydedda dy dad a'th fam' a 'Cofia'r dydd Sabath i'w sancteiddio ef' oni bai fod raid i mi, ond mi fyddwn i wedi lladd Joni Mos 'taswn i wedi cael llonydd. Rydw i'n benderfynol o'i gael o tro nesa, ac fe gafodd Mam wbod hynny hefyd. Roedd hi'n mynnu fod yn rhaid i mi ymddiheuro i Joni, ond dim ond syllu i'r tân wnaeth Nhad a deud ei bod hi'n biti fod hogia oedd yn gymaint o ffrindia wedi cael eu gorfodi i droi'n elynion.

Dydd Mercher, Hydref 16

Rydw i wedi ymddiheuro i Mam, am fod Tom yn swnian arna i, ond os ydyn nhw'n disgwyl i mi ddeud fod yn ddrwg gen i wrth Joni, aros byddan nhw tan Sul pys.

Dydd Iau, Hydref 24

Mae gan Mam fwy fyth i boeni amdano fo rŵan. Fe fydd y Trench 'na'n galw'r wythnos ar ôl nesa, ac mi clywas i hi'n deud wrth Tom y bydd o'n siŵr o'n troi ni allan. Fe fydda colli'i gartra ar ben bob dim arall yn ddigon am Nhad, medda hi. Mynnu wnaeth Tom na wnaiff o ddim gadal i hynny ddigwydd, ond wn i ddim be fedar o 'i neud.

Dydd Sadwrn, Tachwedd 2

Mi dw i wedi bod yn poeni gormod i allu sgwennu gair yn hwn. Ond fe ddaeth Tom i fyny i'r llofft gynna a deud fod pob dim wedi'i setlo. Mi fedra i gysgu'n braf heno.

Dydd Sul, Tachwedd 3

Pan es i lawr i'r gegin bora 'ma, roedd Mam wedi gwisgo'i ffedog ora, ac mae heddiw wedi bod fel pob Sul arall.

Dydd Sadwrn, Ebrill 7

Mae'r rhent wedi'i dalu a ninna'n saff am ryw hyd eto. Fyddwn i ddim callach oni bai i mi fod yn gwrando ar ben grisia. Wedi cael benthyg y pres gan Daniel Ellis oedd

Tom, medda fo, a hynny heb orfod gofyn amdanyn nhw. Doedd Mam ddim i sôn gair wrth Nhad. Dydi o rioed wedi cymryd benthyg yr un geiniog gan neb, ond mi dw i'n siŵr y bydda'n well ganddo fo neud hynny na gorfod mynd i'r Wyrcws.

Rydw i'n meddwl chydig mwy o Daniel Ellis, rŵan ei fod o wedi rhoi'r pres i Tom. Mae'n siŵr ei fod o'n siomedig na chafodd o fynd i'r coleg ac ynta wedi gweithio mor galad. Mi dw i'n deall rŵan be oedd Mam yn 'i feddwl wrth ddeud nad oedd ei galon o yn ei bregath, ond wela i dim be arall fedar o 'i neud ond dal ati. Dydi o fawr o chwarelwr, a fedar o ddim diodda bod tu ôl i gowntar.

Dydd Gwener, Tachwedd 15

Mi ges i ragor o *Cymru'r Plant* gan Mathew Jones yn y Band of Hope heno am fod yr un gora i ddarllan darn heb ei atalnodi. Mae Ned am gael benthyg y copïa ar ôl i mi orffan efo nhw, er mwyn iddo fo gael darllan hanas Willie a Bobbie.

Rydw i wedi bod yn chwilio drwyddyn nhw rŵan. Does 'na ddim sôn am Willie a Bobbie yn rhain, dim ond hanas rhyw hogan, a fydd Ned ddim balchach o hynny, mwy na finna.

Dydd Mawrth, Rhagfyr 3

Fydd Tom byth yn siarad am y streic yng nghlyw Mam, a dydw inna'n cael gwbod dim be sy'n digwydd. Ond heddiw, pan oedd Mam wedi mynd i'r pentra a Nhad allan yn rhwla, fe ddeudodd wrtha i fod petha wedi bod reit ddrwg yn ystod y misoedd dwytha. Mae'r bradwyr yn rhedag at y plismyn i gwyno drwy'r amsar medda fo. Deud maen nhw nad oes 'na ddim llonydd i'w gael, y streicwyr yn taflu cerrig atyn nhw ac yn udo a gweiddi y tu allan i'w tai yn hwyr y nos.

Fe gafodd pedwar o'r streicwyr eu rhoi'n y jêl am ymosod – dau am bythefnos a dau am fis. Mae'r adar duon yn gneud eu siâr o fygwth hefyd, ond dydyn nhw ddim yn cael eu cosbi. Dim ond iddyn nhw ysgwyd eu cynffonna, ac fe fydd y Lord a'r Young 'na'n galw am ragor o blismyn i'w gwarchod nhw. Ni sy'n dŵad allan waetha, bob tro.

Dydd Llun, Rhagfyr 9

Mae 'na griw o blant bradwrs yn Ysgol Bodfeurig erbyn hyn, gormod i'w tynnu nhw'n ein penna. Fiw i ni sôn am y streic yng nghlyw Mr Owen. Mae o'n meddwl fod y Lord yn fistar da, a'i fod o wedi rhoi pob cyfla i'r dynion fynd yn ôl at eu gwaith. Ond dyn diarth ydi o, a ŵyr o ddim byd am y chwaral.

Dim ond chydig dros flwyddyn sydd 'na ers y cloi allan, ond mae hynny'n teimlo fel oes. Mi fydda i'n cael traffarth weithia i gofio sut oedd petha'n arfar bod. Mae Tom yn dal i fynd i lawr i'r cyfarfod yn y neuadd bob nos Sadwrn, ond dydan ni ddim mymryn nes i'r lan nag oeddan ni flwyddyn yn ôl, medda fo.

Waeth i mi drio mynd i gysgu rŵan. Fedra i'm meddwl am ddim byd arall gwerth ei ddeud.

Dydd Gwener, Rhagfyr 13

Ddylwn i ddim fod wedi gofyn i Mam ydi hi am neud plwm pwdin y Dolig yma. Meddwl o'n i fod ganddi ddigon o amsar i hynny, rŵan nad ydi Nhad byth o gwmpas. Edrych yn sobor arna i ddaru hi a gofyn, 'Efo be, 'ngwas i?'

Mae hi wedi bod yn bwrw eira drwy'r dydd, a fedra i ddim mynd allan i chwara gan fy mod i wedi gwlychu 'nhraed yn doman wrth gerddad adra o'r ysgol.

Dydd Sadwrn, Rhagfyr 28

Mae'r Dolig drosodd, ond does gen i ddim awydd sôn amdano fo.

Ro'n i'n teimlo reit euog pan welas i Grace Ellis ddoe, a finna heb sgwennu gair yn hwn ers pythefnos. Roedd hi wedi bwriadu galw draw cyn y Dolig, medda hi. Falla eu bod nhw wedi cael ryw fath o Ddolig yn Bristol House, ond doedd o ddim ond fel Sul arall i ni. Fe ddaeth â llond basgiad o fwyd efo hi, a chymera hi 'run geiniog amdanyn nhw.

Roedd hi fel 'tasa hi ar biga drain, yn ista ar flaen ei chadar ac yn gwrando efo un glust. Pan glywodd hi sŵn traed Tom ar y llwybr, dyna hi'n neidio ar ei thraed a deud fod yn rhaid iddi fynd. Fe gyrhaeddodd y ddau'r drws yr un pryd. 'Pnawn da, Grace,' medda Tom. 'Pnawn da, Tom,' medda hitha. A dyna'r cwbwl.

Mi es i i'w danfon hi at groesffordd capal Amana, fel bydda i'n arfar. Ro'n i'n swp sâl isio gofyn oedd hi a Tom wedi cael ffrae, ond fedrwn i ddim heb swnio'n ddigywilydd. Pan ofynnodd hi ydw i'n dal i gadw'r dyddiadur, mi ddeudis fy mod i, pan mae gen i rwbath gwerth ei ddeud, ond y bydd yn rhaid i mi roi'r gora iddi toc gan nad oes 'na fawr o le ar ôl yn y copi-bwc. 'Mi fydda hynny'n biti,' medda hi. 'Tyd draw i'r siop dydd Sadwrn nesa.' Ac i ffwrdd â hi am Allt Rocar cyn i mi allu diolch iddi.

1902

Dydd Iau, Ionawr 2

Roedd Tom wedi deud ers dyddia mai helynt fydda 'na unwaith y bydda'r dynion yn dŵad adra eto dros y gwylia. Pan es i fyny i'r llofft nos Galan roedd o'n gorwadd ar ei wely yn cymryd arno gysgu. 'Be w't ti neud yn fan'ma?' medda fi. Chymerodd o ddim sylw ohona i. Mi wylltias inna'n gacwn a'i alw fo'n gachgi, a deud nad oedd o ddim gwell na Daniel Ellis, yn gadal i bobol er'ill gwffio drosto fo. 'Dyna be w't ti'n 'i feddwl ohona i, ia?' medda fo, a neidio ar ei draed. 'A be liciat ti i mi 'i neud efo'r adar duon?' 'Gna di be fynni di efo nhw,' medda finna. 'Ond gna'n siŵr na chei di mo dy ddal.'

Fuas i rioed mor falch o weld Tom yn cyrradd adra. Doedd o ddim tamad gwaeth, ond roedd 'na andros o lanast yn y stryd fawr, medda fo, a ffenestri'r Victoria a'r Waterloo wedi'u malu'n shitrwns. Fe fydd Dafydd Lloyd yn difaru'i enaid ei fod o wedi gwerthu cwrw i'r bradwyr.

Dydd Sadwrn, Ionawr 4

Trio meddwl am esgus i fynd i'r pentra o'n i pan ofynnodd Mam i mi bicio lawr i weld sut oedd modryb Jane. Fedrwn i ddim credu fy lwc. 'Paid ti â mynd ddim pellach na'r drws,' medda hi. 'Dim ffiars o berig,' medda finna, ac allan â fi'r munud hwnnw, cyn iddi newid ei meddwl.

Dyna be oedd llanast! Roedd y stryd fawr yn wydra i gyd, a'r rheiny'n crenshian dan draed. Pan welodd Dafydd Lloyd fi, dyna fo'n deud wrtha i am afael mewn brws a dechra sgubo. Tra o'n i wrthi'n chwys doman, y cwbwl wnaeth o oedd smocio un Wdbein ar ôl y llall a beio pawb ond fo'i hun. 'Be w't ti'n neud yma p'un bynnag?' medda fo. 'Dy fam sydd wedi dy yrru di i ddeud eitha gwaith â ni, ia?' Ro'n i'n teimlo fel taflu'r brws a deud wrtho fo am neud ei waith budur ei hun. Ond dydi Dafydd Lloyd ddim yn un i'w groesi, a dim ond deud wnes i mai isio gwbod sut mae modryb Jane oedd Mam. 'Gofyn di iddi hi,' medda ynta, a phwyntio at y twll lle'r oedd ffenast i fod. Fedrwn i mo'i gweld hi, ond pan ofynnas i oedd hi'n iawn, fe ddaru atab a deud nad oedd hi ddim ac y bydda'n dda ganddi 'tasa hi wedi gwrando ar Elen ei chwaer flynyddodd yn ôl.

'Wel, w't ti'n fodlon rŵan?' medda Dafydd Lloyd, a chipio'r brws oddi arna i. 'Hegla hi am adra'r hen snichyn bach.' A dyna'r diolch ges i am slafio iddo fo. Ond 'tasa fo wedi rhoi ceiniog i mi, fel dyla fo, mi fydda'n rhaid i mi fod wedi'i gwrthod hi rŵan fy mod i'n gwbod be oedd o'n ei feddwl wrth ddeud fod y diafol yn edrych ar ôl ei weision. Mae'n rhaid fod hwnnw'n cysgu nos Galan.

Dydd Sul, Ionawr 5

Rydw i wedi dechra sgwennu'n y copi-bwc newydd. Mae o'n un gwell na'r llall, a châs du calad arno fo. Ro'n i'n teimlo reit ddigwilydd yn galw yn Bristol House ddoe, er mai Grace Ellis oedd wedi deud wrtha i am neud. Ei roi o'n slei bach i mi ddaru hi. Doedd 'na fawr o hwyl siarad arni, a soniodd hi 'run gair am Tom.

Roedd 'na griw mawr o sowldiwrs yn cicio'u sodla y tu allan i'r Douglas Arms. Fyddwn i ddim wedi cael mynd yn agos i'r pentra 'tasa Mam yn gwbod. Ro'n i'n meddwl y bydda hi'n falch o glywad fod Modryb Jane wedi deud mai hi oedd yn iawn, ond doedd hynny ddim cysur iddi, medda hi, a waeth i Jane heb â difaru rŵan. Difaru ei bod hi wedi mynd i gadw tafarn oedd hi'n ei feddwl, mae'n siŵr. 'Sut olwg oedd ar Jane?' medda hi. 'Dim ond clywad ei llais hi wnes i,' medda finna. 'Ac fe ddaru Dafydd Lloyd fy ngalw i'n hen snichyn bach a deud wrtha i am ei heglu hi adra.' Ysgwyd ei phen wnaeth Mam a deud, 'Wel, hi ddaru fynnu ei gael o.'

Roedd ddoe yn ddwrnod da, ar waetha Dafydd Lloyd. Fydd dim rhaid i mi roi'r gora i gadw dyddiadur, ac mi dw i wedi cael gweld sowldiwrs go iawn, o'r diwadd!

Dydd Sadwrn, Ionawr 11

Mae'r sowldiwrs i gyd wedi gadal unwaith eto. Doedd ganddyn nhw ddim byd i'w neud. Mi es i lawr i'r pentra efo Mam heddiw. Chydig iawn o bobol oedd o gwmpas, ac roedd Edward Ellis, Bristol House, yn cwyno fod busnas yn sobor o wael. Doedd gan Mr Daniel, trefnydd Undab y Chwarelwyr, ddim hawl deud wrth y siopwyr na ddylan nhw werthu dim i'r bradwyr, medda fo. 'Y dynion sydd wedi mynd yn ôl i'r chwaral' ddaru o eu galw nhw. Mi dw i'n meddwl y bydda Edward Ellis yn ddigon bodlon gneud hynny, ac mai Grace ddaru fynnu rhoi'r cerdyn 'Nid oes bradwr yn y tŷ hwn' yn y ffenast.

Dydd Mercher, Ionawr 15

Fe fu clycha'r ysgolion yn canu am hydoedd pnawn 'ma. Wedi i'r rheiny ddistewi, dyna sŵn tanio o'r Fronllwyd a Phonc Douglas – ergyd ar ôl ergyd nes ein bod ni i gyd yn neidio allan o'n desgia, a Twm Mos yn gweiddi, 'Mae'r Boers ar eu ffordd!' Fe gawson ni ffrae gan Mr Owen. Fe ddylan ni i gyd fod yn gwbod, medda fo, fod merch Arglwydd Penrhyn yn priodi yn Llundan heddiw a bod y chwarelwyr yn awyddus i ddangos eu parch a'u dymuniada da i'r teulu. Ond dydi o ddim ots gen i amdani hi na'r un o'r teulu, a wnes i ddim agor fy ngheg i ddeud 'God bless the happy pair' chwaith.

Heno, fe gafodd coelcerth fawr ei thanio ar Bonc Ffriddoedd, Chwaral Goch. 'Tasa'r Lord adra, fe fydda wedi gallu ei gweld hi o Gastell Penrhyn. Welodd o mo'r tân gwyllt yn Nhregarth na'r canhwylla a'r lanterni bob lliw yn ffenestri'r tai chwaith. *Welas* inna mohonyn nhw, dim ond clywad Ned yn sôn. Dewis aros adra wnes i.

Dydd Llun, Ionawr 20

Roedd Tom wedi bod wrthi'n tacluso'r cwt ac yn hogi'r arfa garddio yn barod at y gwanwyn. Chymerodd Nhad ddim sylw, mwy nag arfar, ond roedd Mam i weld yn hapusach nag y buo hi ers misoedd, ac yn hymian wrth ei gwaith. Tan heddiw.

Wedi bod yn ymarfar bach a phowl o'n i ar ôl 'rysgol Mi dw i'n giamstar arni erbyn rŵan, ac yn barod i herio Twm Mos. Roedd y drws cefn yn agorad. Mi fedrwn i glywad Mam yn deud, 'Wn i ddim be ddaw ohonon ni, na wn i wir', a Tom yn holi be oedd yn bod. 'Taswn i wedi dangos fy nhrwyn, fe fydda'r ddau wedi cau eu cega'n glep, felly aros yno wnes i er 'mod i'n crynu drosta, rhwng yr oerni ac ofn be fydda'n dŵad nesa.

Y dyn Trench 'na oedd wedi galw, nid i nôl y rhent tro

yma, ond i'n bygwth ni am roi'r cerdyn yn y ffenast. Dydi rhai sydd mor annheyrngar i'r Lord ddim yn haeddu cael aros yma, medda fo, ac mae 'na ddigon o weithwyr gonast angan tŷ. Fe ddechreuodd Mam sobian crio a gofyn, 'Be ydan ni'n mynd i neud, Tom?' 'Does 'na ddim ond un peth fedrwn ni neud,' medda ynta. 'Tynnu'r cerdyn o'r ffenast a'i roi o'n ôl ar ddydd Sadwrn pan na fydd ci bach y Lord yn snwffian o gwmpas y lle.' Roedd o am gael gair efo'r cymdogion a gofyn iddyn nhwtha neud yr un peth. Ro'n i'n synnu ei glywad o'n deud hynny, ond roedd Mam yn credu ei fod o'n syniad da ac yn ei ganmol o'n arw.

Dydd Sadwrn, Ionawr 25

Mi wnes i drio cogio nad o'n i wedi sylwi fod y cerdyn wedi'i dynnu o'r ffenast, ond camgymeriad oedd hynny, ac fe ddaru Tom ama'n syth bìn. 'Peth peryg ydi gwrando tu ôl i ddrysa,' medda fo. 'Does wbod be glywi di.' 'Be arall wna i?' medda finna. 'Does 'na neb yn deud dim wrtha i.' Edrych yn gam arna i wnaeth o, a deud mai trio fy arbad i rhag poeni oeddan nhw. Dydw i ddim isio cael fy arbad, ac mae peidio gwbod yn waeth na dim.

Fydda Tom ddim wedi meddwl tynnu'r cerdyn o'r ffenast ar un adag. Rydw i'n ei gofio fo'n deud wrth Nhad na fydda fo byth yn fodlon cowtowio i'r penna bach. Er bod yn gas gen i ei glywad o'n ffraeo efo Mam a Nhad, roedd yr hen Tom – oedd yn barod i 'nysgu i i gwffio, ac i herio pawb – yn well boi o'r hannar.

Mae'r cardia'n ôl yn y ffenestri heddiw, ond fedra'r Trench 'na ddim troi pawb allan, ac fe fydda'n well 'tasan ni i gyd wedi sefyll efo'n gilydd a dangos iddo fo nad ydi pobol Llwybrmain yn mynd i gymryd eu dychryn.

Dydd Sadwrn, Chwefror 1

Os nad ydi Tom yn barod i neud dim, mae 'na ddigon sydd. Roedd Ned yn deud fod Now Morgan yn brolio ei fod o wedi colli cownt o faint o ffenestri mae o wedi'u torri.

Ned ddeudodd hefyd fod yr adar duon yn cael eu hel o'r capeli ac yn troi'n eglwyswrs. Roedd pawb wedi cerddad allan o un capal ryw nos Sul ac yn gwrthod mynd yn eu hola nes bod y blaenoriaid yn cael gwarad â'r bradwr a'i deulu. Mae modryb Ned, chwaer ei dad, yn mynd i St Ann, ac roedd hi'n deud fod 'na ddega ohonyn nhw wedi cael bedydd esgob er mwyn cael eu derbyn i'r eglwys. 'Isio'u trochi nhw dros eu penna yn afon Ogwen sydd,' medda fi. 'Ia'n tad,' medda Ned, 'a modryb Gwen Mary i'w canlyn nhw.' A dyna ni'n dau'n dechra chwerthin wrth ddychmygu eu gweld nhw'n cael eu sgota o'r afon a'u hongian ar y coed i sychu.

Dydd Sul, Chwefror 9

Fe fu'n rhaid i ni fynd i'r capal heb Nhad heno. Roedd y pregethwr wrthi'n ledio'r emyn pan gyrhaeddon ni, a phawb yn troi eu penna i edrych arnon ni.

Wedi galw i weld Sam Lloyd ei bartnar oedd o, medda fo. Ro'n i'n meddwl yn siŵr y bydda Mam yn ei deud hi wrtho fo am fynd i hel ei draed ar y Sul, o bob dwrnod, a rhoi gwaith siarad i bobol, ond doedd hi ddim dicach.

Dydi o ddim ots gen i be fydd pobol yn ei ddeud. Mae bod efo Sam Lloyd wedi gneud byd o les iddo fo. Fe fu wrthi amsar swpar yn deud straeon am Twm bach, fel bydda fo cyn y cloi allan. Roedd Twm yn hwyr yn cyrradd y gwaith un dwrnod, a dyna lle'r oedd Roberts stiward gosod yn ei aros o. 'Rŵan ydach chi'n codi, Thomas Jones?' medda fo. 'Naci'n tad,' medda Twm, 'mi

110

godis i cyn cychwyn.' Dro arall, roedd Roberts wedi'i
ddal o'n sleifio adra cyn caniad. Pan ofynnodd o, 'A lle
dach chi'n meddwl dach chi'n mynd, Thomas Jones?'
dim ond troi ar ei sawdl wnaeth Twm a deud yn dalog,
'Yn ôl, Mistar Robaits.'

Fe gawson ni andros o sbort, ac roedd Mam yn
chwerthin gymaint â neb, ac wedi anghofio ei bod hi'n
nos Sul.

Dydd Mercher, Chwefror 12

Mae'r Lord yn mynd ag achos enllib yn erbyn Mr Parry,
Coetmor Hall. Deud petha cas am rywun ydi hynny, dim
ots a ydyn nhw'n wir ai peidio. Ond fydda Mr Parry byth
yn deud celwydd ac ynta'n ddyn capal. Mae o wedi
sgwennu llyfr, *The Penrhyn Lock-out,* ac fe gafodd Tom
fenthyg hwnnw gan Isaac Parry. 'Tasa'r llyfr wedi'i
sgwennu yn Gymraeg fydda'r Lord yn deall 'run gair, ac
mi fedra Mr Parry fod wedi deud be fynna fo. Fe ddaru
Tom ddarllan chydig ohono fo i Mam a finna. Rydw i'n
medru Saesnag yn eitha da, ond dim ond y Beibil a *Taith
y Pererin* fydd Mam yn eu darllan. 'Be mae "stârf into
syb rwbath" yn ei feddwl, Tom?' medda hi. 'Fod y Lord

111

yn benderfynol o neud i'r chwarelwyr ddiodda, a'u llwgu nhw nes fydd ganddyn nhw ddim dewis ond ildio,' medda ynta. Ochneidio wnaeth Mam a deud, 'Mae gen i ofn fod Mr Parry druan wedi gneud rhaff i'w grogi'i hun.'

Dydd Gwener, Chwefror 21

Roedd hi'n hwyr iawn ar Nhad yn cyrradd adra neithiwr. 'Wedi galw i weld Sam a'r ddau wedi colli cyfri o'r amsar mae o, siŵr i chi,' medda Tom.

Pan o'n i'n dŵad i lawr grisia bora 'ma, mi glywas i Mam yn gofyn, 'Sut hwyl oedd ar Sam Lloyd neithiwr, Robat?' ac ynta'n atab, ''Run fath ag arfar.' Ond doedd 'na ddim hwyl arno fo, a chymerodd o ddim sylw ohona i pan ofynnas i oedd ganddo fo ragor o straeon am Twm bach.

Dydd Sadwrn, Chwefror 22

Pan oedd Ned a finna'n mynd heibio i dŷ Sam Lloyd pnawn 'ma, dyna fo'n galw arna i ac yn gofyn, 'Ydi dy dad yn cwyno, Ifan? Dydw i ddim wedi'i weld o ers pythefnos.' 'Na, mae o'n iawn,' medda fi. Ond mae'n rhaid nad ydi o ddim, er fy mod i wedi credu ei fod o.

Wnes i erioed feddwl y galla Nhad ddeud celwydd fel'na, ond rydw i wedi cael siars gan Tom i beidio sôn gair wrth Mam. Waeth heb â rhoi rhagor o boen meddwl iddi hi, medda fo, a lle bynnag mae Nhad yn mynd, yn ôl adra mae o'n dŵad bob tro.

Dydd Sadwrn, Mawrth 1

Ro'n i'n arfar edrych ymlaen at ddydd Sadwrn, ond fydda waeth gen i fod yn yr ysgol heddiw ddim. Pan fyddwn ni allan ar yr iard, rydw i'n gallu anghofio am y streic a'r olwg ddigalon sydd ar Mam a Tom. A does 'na ddim amsar i feddwl am betha felly'n y dosbarth a Mr Owen yn gyrru arnon ni bob munud. Ond yma yn Llwybrmain, fedra i'm meddwl am ddim byd arall. Doedd gen i ddim mymryn o awydd mynd allan i chwara efo Ned, a dyna lle buon ni'n y tŷ drwy'r pnawn – Tom yn cymryd arno ddarllan *Yr Herald* ac yn croesi at y ffenast bob hyn a hyn; Mam, wedi gorffan ei gwaith paratoi at fory, yn ista wrth y tân yn pletio'i ffedog ac yn edrych ar y cloc bob dau funud, a finna'n gneud dim.

Roedd heddiw'n ddydd Dewi Sant, er na ddaru neb gofio amdano fo. Methu deall ydw i pam fod 'na seintia erstalwm a dim un i'w gael rŵan, na neb yn gallu gneud gwyrthia.

Dydd Sadwrn, Mawrth 15

Fyddwn i ddim wedi mynd efo Ned i weld ei fodryb heddiw oni bai ei fod o wedi deud y byddan ni'n siŵr o geiniog neu ddwy. Mae 'nghadw-mi-gei i cyn wacad â phen Joni Mos, a mi dw i wedi hen anghofio sut flas sydd ar daffi a licris bôl.

Mae modryb Gwen Mary yn gwisgo'i dillad gora bob dydd o'r wythnos ac yn siarad fel 'tasa ganddi hi dysan boeth yn ei cheg. 'A pwy ydi hwn sydd efo chi, Edward?' medda hi, gan syllu arna dros ben ei sbectol yn lle drwyddi. 'Ifan, hogyn Robert ac Elen Evans Llwybrmain, Mrs Puw,' medda fi, a gwenu'n glên arni.

Ein gadal ni'n sefyll ddaru hi am sbel, cyn tynnu'r clustoga oddi ar y cadeiria a deud na fydda waeth i ni ista ddim os oeddan ni am aros. Hi oedd yn gneud y

114

siarad i gyd, a Ned yn atab 'Ia' a 'Nace' fel 'tasa fo'n chwara'r gêm 'Mynd i Fangor'. Er bod Ned wedi deud wrtha i na fydda fiw iddo fo ofyn sut oedd hi, neu yno y byddan ni drwy'r pnawn, fe gawson ni wbod heb holi.

Mae'r tŷ gymaint â dau o dai Llwybrmain efo'i gilydd. Mynd yno'n howscipar i Elis Puw bancar ddaru hi, medda Mam, ac fe adawodd hwnnw'r cwbwl iddi yn ei ewyllys. Fyddwn i'm balchach o fyw yno er na fydda'n rhaid poeni am dalu rhent. Dim ond dau gi tegan yn syllu ar ei gilydd ar y silff ben tân sydd ganddon ni'n tŷ ni, ond mae fan'na'n llawn dop o ornaments. Roedd gen i ofn anadlu, heb sôn am symud, ac mi fu'n rhaid i mi wrthod diod o lefrith er fy mod i bron â thagu rhag ofn i mi neud llanast. Pan estynnodd Ned am ei wydr, fe roddodd bwt i ryw fwrdd bach ac fe fu ond y dim i un o'r ornaments ei chael hi. 'Byddwch yn ofalus, Edward, da chi,' medda modryb Gwen Mary. 'Mae hwnna'n *antique* ac yn werth lot o bres.'

Dim ond ceiniog yr un gawson ni. Falla y byddan ni wedi cael rhagor 'tasa Ned heb fod mor flêr. Dydw i ddim yn meddwl y bydd hi isio'n gweld ni am hir iawn eto, na ninna hitha chwaith, ond o leia rydw i geiniog yn well allan, ac roedd hi'n werth diodda er mwyn hynny.

Doedd 'na ddim golwg o Nhad na Tom pan gyrhaeddas i tŷ ni. Wedi mynd i'r cyfarfod yn y neuadd mae Tom, mae'n siŵr, a fydd o ddim yn ôl am oria. Mi fydda'n well i minna fynd i lawr i gadw cwmpeini i Mam nes daw Nhad adra.

Dydd Sul, Mawrth 16

Ddaeth Nhad ddim adra. A ddaw o ddim eto.

Rydw i'n brifo drosta ac yn methu cael fy ngwynt. Nid sâl annwyd na bwyta gormod, na gwbod rwbath nad oes neb arall yn ei wbod, ydi o'r tro yma, ond salwch am byth. Does gen i ddim mymryn o awydd sgwennu yn hwn, ond falla bydd hynny'n gneud i mi deimlo chydig yn well, er nad oes gen i obaith cael ei warad o.

Ro'n i wedi bod yn deud rywfaint o hanas modryb Gwen Mary wrth Mam neithiwr, er mwyn i'r amsar fynd yn gynt. 'Dydi pres ddim yn dŵad â hapusrwydd, Ifan,' medda Mam pan ddeudis i na wyddwn i ddim pam oedd hi'n cwyno cymaint a hitha'n werth ei ffortiwn. 'Nac yn arbad rhywun rhag tân uffarn,' medda fi. 'Ond falla fod eglwyswrs yn meddwl eu bod nhw i gyd yn mynd i'r nefoedd am eu bod nhw wedi cael bedydd esgob.' Chwerthin wnaeth Mam a deud, 'Dydw i'm yn meddwl y bydd hynny'n ddigon i'w harbad nhw.' Ro'n i wrth fy modd yn ei chlywad hi'n chwerthin. Ond pharodd o ddim yn hir, a'r cwbwl fuon ni'n ei neud wedyn oedd syllu i'r tân a gwrando am sŵn traed.

Ro'n i wedi cael digon ar ista'n y twllwch, ac mi ofynnas i gawn i oleuo'r lamp. 'Ia, gna di hynny,' medda Mam, 'a rho hi'n y ffenast er mwyn i dy dad gael gola ar y llwybyr.' 'Mi fedar 'i gerddad o â'i lygid ar gau,' medda finna.

Roedd hi am i mi ddarllan salm pedwar deg chwech iddi, ond do'n i ddim angan Beibil i hynny a finna wedi ennill gwobr am ei hadrodd hi'n y cyfarfod darllan. Ond roedd Mam fel 'tasa hi wedi anghofio, a dyna wnes inna hefyd cyn mynd hannar ffordd drwyddi, er fy mod i'n meddwl fy mod i mor siŵr ohoni ag oedd Nhad o'r llwybyr. Ei hadrodd hi efo'n gilydd wnaethon ni wedyn. Mor braf oedd cael deud, 'Y mae Arglwydd y lluoedd gyda ni; y mae Duw Jacob yn amddiffynfa i ni', a gwbod y bydda fo'n siŵr o edrych ar ôl Nhad.

Ond wnaeth o ddim.

Dydd Llun, Mawrth 17

Doedd 'na ddim diban mynd i'r capal, ond fydda fiw i mi beidio. Mi fyddwn i'n arfar teimlo'n gynnas braf yno, efo Mam un ochor i mi a Nhad ar y llall, ond roedd hi'n sobor o oer yno ddoe.

Ro'n i'n falch o glywad Mathew Jones yn deud petha clên am Nhad ac yn sôn am y gollad, nid yn unig i Mam a Tom a finna, ond i gapal Hermon a'r gymdeithas gyfa. Ond rois i mo 'mhen i lawr na chau fy llygaid pan ofynnodd o, wrth weddïo, i Dduw gymryd gofal ohonon ni. Pam dylwn i, a finna wedi digio wrtho fo am fethu cymryd gofal o Nhad?

Mae'n deud yn y Beibil nad ydi Duw byth yn cysgu a'i fod o'n gweld ac yn clywad bob dim. Lle'r oedd o nos Sadwrn pan syrthiodd Nhad i lyn Allt Rocar?

Fedar Duw, er mor glyfar ydi o, ddim gofalu am bawb, medda Tom. Ond fe ddyla fod wedi cadw llygad ar Nhad, ac ynta'n ddyn mor dda. Ro'n i wedi gofyn iddo fo neud hynny ar fy mhadar bob nos, ond chymerodd o ddim sylw ohona i.

Dydw i ddim am ei deud hi heno, na'r un noson arall. Be 'di'r diban siarad efo rywun nad ydi o'n gwrando 'run gair?

Dydd Mercher, Mawrth 19

Fe ddaeth Twm Mos ata i yn yr iard heddiw a 'ngwthio i'n erbyn y wal. 'Ddylat ti ddim fod wedi bygwth Joni fel'na,' medda fo. 'Fo oedd yn iawn 'te, yn deud nad oedd dy dad ddim hanner call.' Ddylwn i'm fod wedi gadal iddo fo ddeud hynna, ond doedd gen i ddim nerth i'w atab o, heb sôn am godi 'nyrna.

Dydi o ddim tamad o ots gen i am Joni, ond mi wn i 'mod i wedi siomi a digio Nhad ac ynta gymaint yn erbyn cwffio. Pan ddeudis i wrth Mam mai dyna pam roedd o'n mynd i grwydro ac yn aros allan mor hwyr, deud ddaru hi nad oedd o'n un i ddigio ac na ddylwn i ddim meddwl ffasiwn beth. Methu dygymod â bod yn segur oedd o, medda hi, a fydda fo wedi bod fawr o dro'n dŵad ato'i hun pe bai o wedi cael mynd yn ôl i'r chwaral. Ond doedd hynny ddim yn wir. Trio gneud i mi deimlo'n well oedd hi. Dim rhyfadd nad oedd Duw yn barod i wrando arna i. Fo sydd wedi digio wrtha i. Pa hawl oedd gen i i ofyn iddo fo edrych ar ôl Nhad, a gweld bai arno fo am beidio? Ond mae hi wedi darfod arna i rŵan. Fedra i'm gofyn dim iddo fo byth eto.

Dydd Iau, Mawrth 20

Dyna'r angladd cynta i mi fod ynddo fo erioed, er bod Mam wedi bod mewn dega ohonyn nhw, yn 'talu'r gymwynas ola', medda hi. Ond dydi'r un sydd wedi marw'n gwbod dim pwy sydd 'na, ac mi fyddwn i wedi rhoi'r byd am gael aros adra i feddwl am Nhad, a chofio fel bydda fo'n cadw brechdan i mi yn ei dun bwyd ac yn adrodd straeon digri am Twm bach.

Roedd Mam a Tom a finna wedi cael ein rhoi i ista yn y sêt flaen, a'n cefna at bawb arall oedd yn y capal. Mi fedrwn i deimlo'u llygaid nhw arna i, yn boeth fel fflama tân uffern, ac yn deifio 'ngwar i. Roeddan nhw i gyd yn gwbod 'mod i wedi torri dau o'r deg gorchymyn ac wedi bod yn agos iawn at dorri un arall. Doedd gen i ddim hawl bod yno. Tu allan efo'r pechaduriaid a'r adar duon ddylwn i fod.

Ro'n i'n teimlo'n waeth fyth pan welas i Isaac Parry yn dringo'r grisia i'r pulpud. Roedd y farf wen, laes yn gneud iddo fo edrych yr un ffunud â'r Duw y mae 'i lun o ar wal y festri. Ro'n i wedi'i dwyllo ynta, drwy gymryd arna fod yn un o blant bach Iesu Grist, er fy mod i gymaint o blentyn y diafol â phlant eglwyswrs.

'Gorchwyl drist iawn sydd gen i heddiw, gyfeillion,' medda fo mewn llais cryg, fel 'tasa fo'n hel annwyd. Ar ôl iddo fo roi peswch neu ddau i glirio'i wddw, dyna fo'n syllu'n syth arna i. Cau fy llygaid a gwasgu 'nyrna'n dynn wnes i. Doedd 'na ddim byd arall fedrwn i 'i neud, gan nad oedd gen i hawl gofyn i Dduw rwystro Isaac Parry rhag deud hogyn mor annuwiol o'n i, yno yng nghlyw pawb. Roedd fy nghalon i'n curo fel gordd, ond wedi iddo fo ganmol Nhad fel 'cyfaill, cydweithiwr a Christion' fe aeth ymlaen i gydymdeimlo â Mam a Tom a finna a deud ein bod ni'n gwbod ar bwy i roi ein pwysa, ac y bydd Duw yn gefn ac yn gysur i ni. Fydda fo byth wedi deud hynna oni bai ei fod o wedi madda i mi.

Rydw i am ddechra deud fy mhadar eto, ond mi fydda'n well i mi ei gadal hi ar 'Ein Tad' yn unig am rŵan a pheidio addo na gofyn am un dim.

Dydd Gwener, Mawrth 21

Mam oedd wedi gofyn i Daniel Ellis gymryd rhan yn y gwasanaeth. Soniodd o 'run gair am Nhad, dim ond darllan 'Cofia yn awr dy Greawdwr yn nyddiau dy ieuenctid', o Lyfr y Pregethwr. Mi fedrwn weld gwefusa

Mam yn symud wrth iddi ddeud y geiria efo fo. Ro'n inna'n eu gwbod nhw hefyd, ac yn eu hadrodd nhw'n dawal bach yn fy mhen.

Pan ddaethon ni at y geiria, 'ac y metha y rhai sydd yn malu am eu bod yn ychydig, ac y tywylla y rhai sydd yn edrych trwy ffenestri', allwn i ddim peidio meddwl am Tom a Now yn torri ffenast Dei Mos yn deilchion, a chofio Mam yn deud fod y cerdyn 'Nid oes bradwr yn y tŷ hwn' yn dwyn hynny o ola oedd 'na ac yn taflu'i gysgod dros y gegin.

Fydda 'na ddim malu na cherdyn oni bai am y streic, a fyddwn inna ddim wedi ffraeo efo Joni na phechu'n erbyn Duw. Mi fyddwn i'n cychwyn am Hirdir rŵan i gyfarfod Nhad a Tom. Ar y Lord mae'r bai am hyn i gyd. Gas gen i o a'r adar duon a'r eglwyswrs, a wna i byth fadda iddyn nhw.

Mae Iesu Grist yn deud y dylan ni garu'n gelynion, ond fedra i ddim. A waeth i mi heb â deud wrth Dduw fod yn ddrwg gen i. Celwydd fydda hynny. Ond os ydi o wedi digio wrtha i am dorri dau o'r gorchmynion, be mae o'n ei feddwl o'r rhai sydd wedi'u torri nhw bron i gyd, a hynny'n rhacs jibidêrs?

Dydd Sadwrn, Mawrth 22

Ro'n i wedi bod yn y llofft am hydoedd pnawn 'ma, yn gneud dim ond meddwl, ond mi fu'n rhaid i mi fynd i lawr i'r gegin gan fy mod i'n rhy oer i allu gneud hynny hyd yn oed.

Syllu i'r tân oedd Mam. Does 'na ddim diban edrych ar y cloc rŵan, na gwrando am sŵn traed. Roedd Tom yn sefyll wrth y ffenast, ond yn sydyn reit dyna fo'n troi ar ei sawdl ac yn rhuthro allan drwy'r cefn. Munud nesa, dyna gnoc fach ar y drws a llais Grace Ellis yn galw, 'Fi sydd 'ma, Elen Evans.' Symudodd Mam ddim o'i chadar, dim ond deud, 'Dowch i mewn, 'mechan i. Mi dw i mor falch o'ch gweld chi.' Ro'n inna hefyd.

Roedd Mam fel 'tasa hi wedi anghofio 'mod i yno, a doedd dim ots ganddi i mi ei chlywad hi'n deud y galla hi fod wedi perswadio Nhad i fynd yn ôl i'r chwaral ac na fydda waeth ganddi be fydda neb wedi'i feddwl ohonyn nhw, os mai dyna'i ddymuniad o. Mae pawb yn gwbod mai damwain gafodd Nhad, a doedd dim angan cwest i benderfynu hynny, ond pan ddeudodd Grace Ellis fod llyn Rocar yn lle digon peryg a'i bod hi'n hawdd iawn colli troed, fe edrychodd Mam yn reit gas arni a deud,

123

'Chollodd Robat erioed mo'i droed, Grace.' Wedi methu dal oedd Nhad, medda hi. Fydda 'na ddim streic o gwbwl 'tasa pawb yr un fath â fo. Cael llonydd i neud ei waith a dŵad adra at ei deulu, dyna'r cwbwl oedd o ei isio, ond roeddan nhw wedi'i orfodi o i gerddad allan a mynnu fod anga'n well na chywilydd. Ond dydi hynny ddim yn wir, medda Mam.

Rydw i'n ôl yn y llofft yn trio gneud synnwyr o betha. Mi dw i'n difaru na fyddwn i wedi aros yma, er 'mod i'n rhynnu. Ro'n i'n arfar bod o 'ngho am nad oedd neb yn deud dim wrtha i, ond mae gwbod rhai petha'n waeth na bod heb wbod.

Pan o'n i'n sefyll wrth y ffenast gynna, mi welas i Tom yn sleifio allan o'r cwt. Wedi bod yn cuddio yno roedd o, nes i Grace Ellis adal.

Dydd Mercher, Mawrth 26

Fe aeth Tom ati i balu'r ardd ben bora Llun, ac yno mae o wedi bod ers hynny. Mae'n debyg y dylwn i gynnig ei helpu o, ond gas gen i feddwl am fynd yn agos i'r lle. Er nad ydi Mam wedi deud wrtho fo am beidio boddran, fel gwnaeth Nhad, dydw i ddim yn meddwl ei bod hi'n malio be ddaw o'r ardd, na dim arall. Mae'r gegin yn sgleinio 'run fath ag arfar, a dim tamad o lwch yn nunlla, ond dydi'i chalon hi ddim yn y gwaith, mwy nag oedd un Daniel Ellis yn ei bregath. Rhoi'r gora iddi ddaru o.

Be 'tasa Mam yn mynd i falio llai a llai, yn dechra crwydro o gwmpas fel nain Ned, ac yn gwrthod credu na ddaw Nhad byth yn ôl?

Dydd Sadwrn, Mawrth 29

Tom ofynnodd i mi fynd draw i Graig-lwyd i nôl tatws had. Doedd gen i'm mymryn o awydd mynd i fan'no chwaith, yn enwedig pan ddeudodd Tom nad o'n i ddim i gynnig talu amdanyn nhw. Begian ydi peth felly, 'run fath â hel c'lennig.

Ro'n i'n teimlo'n sobor o annifyr wrth edrych ar John Huws yn studio'r tatws yn ofalus cyn eu rhoi nhw'n y sach. 'Mae 'na egin da ar rhain,' medda fo, 'ac mi cei di nhw am ddim am fod mor ffeind yn cario crwyn tatws i'r hen fochyn. Ond deud ti wrth y Tom 'na am beidio edliw dim i mi eto.' Fe ddaru fynnu mynd â fi at y cwt, er y bydda'n well gen i fod wedi mynd adra ar f'union. Roedd 'na fochyn arall wedi cymryd lle Adda. 'Wel, be w't ti'n feddwl o hwn?' medda John Huws. 'Dydi o ddim byd tebyg i Adda,' medda fi. Edrych yn syn arna i wnaeth o. Mochyn ydi mochyn iddo fo, yno i gael ei besgi a'i ladd.

Roedd Tom wedi clirio lle'n barod i'r tatws had ac wrthi'n agor rhesi. 'Planna di nhw tra bydda i'n agor rhagor,' medda fo. Doedd fiw i mi wrthod. Yno buon ni yno am hydoedd, a Tom yn deud wrtha i be a sut i neud ac yn gyrru arna i drwy'r amsar fel 'tasa 'na ddim munud i sbario.

Er bod fy nghefn i'n hollti, rydw i'n falch na wnes i ddim gwrthod. Fe wnaethon ni waith da, ac mae'r rhesi tatws yn werth eu gweld. Fe fydda edrych arnyn nhw'n siŵr o godi calon Mam, ond deud wnaeth Tom pan ofynnas i gawn i alw arni y daw hi yno ohoni'i hun pan fydd hi'n barod. Roedd o'n swnio fel 'tasa fo'n credu hynny, o ddifri. Brifo gormod tu mewn mae hi rŵan i fedru malio, siŵr o fod, ond mi ddaw ati'i hun, a Tom a finna hefyd, er na fyddwn ni byth 'run fath eto.

Dydd Gwener, Ebrill 18

Ro'n i'n meddwl gynna tybad be fydda wedi digwyddd 'tasa Grace Ellis heb roi'r copi-bwc i mi a deud y bydda'n syniad da cadw dyddiadur. Mi fyddwn i un ai wedi mynd yn sâl neu'n wirion bost, heb neb i ddeud dim wrtho fo. Mae sgwennu yn hwn 'run fath â rhoi dau fys yn fy nghorn gwddw i gael y gwenwyn i fyny.

Fydda dyddiadur fel un Isaac Parry yn da i ddim i mi. Fyddwn i ddim isio gorfod meddwl am rwbath i'w ddeud bob dydd, a doedd 'na ddim lle ynddo fo i sgwennu dim byd o werth.

Mae côr Isaac Parry a chôr merchad Miss Parry Penybryn yn dal i fynd o gwmpas i hel pres, ac mae plant bach gweithwyr yn Lloegar wedi gyrru dau ddeg un o bunnoedd i blant Pesda. Fe fydda Nhad yn deud mai cardod ydi hynny, ond llwgu fydda'r rhai sydd ar streic oni bai am bres y Gronfa a'r Undab.

Mae Harri Tŷ Pen wedi dŵad adra. Mi es i draw i'w weld o neithiwr. Roedd o'n gorwadd ar fainc o flaen y tân a blancad drosto fo. 'Ifan ydi hwn, Harri,' medda'i fam. Ro'n i'n meddwl ei fod o'n beth rhyfadd i'w ddeud. Dydw i'm wedi newid dim er pan welodd o fi ddwytha, er 'mod i chydig yn dalach. Pan ofynnas i sut oedd o, ddeudodd o'r un gair. Wedi blino oedd o, mae'n siŵr, ar ôl trafaelio mor bell, a dim awydd siarad. Doedd gan Nel Tomos ddim byd i'w ddeud chwaith, ond fe ddaru ddiolch i mi am alw a gofyn tybad fedra Mam bicio draw.

Y munud y cafodd hi'r negas, roedd Mam ar ei ffordd, er nad ydi hi wedi gadal y tŷ ond i fynd i'r capal ers wythnosa. Fe fu yno am sbel go hir. Pan ddaeth hi'n ôl, dyna hi'n syllu ar Tom a finna ac yn deud, 'Cyfri'n bendithion ddylan ni'.

Dydd Iau, Ebrill 24

Tom oedd yn iawn. Fe aeth Mam i weld yr ardd ohoni'i hun heddiw. 'Dyna be ydi gwelliant,' medda hi. 'Fe fydda Robat yn falch ohonoch chi'ch dau.' Mae'n rhaid ei bod hitha'n falch ohonon ni hefyd. Fe gawson ni lobsgows i swpar am y tro cynta ers wn i ddim pryd. Fe fydd raid i ni fyw ar nesa peth i ddim am ddyddia rŵan, ond roedd o'n werth hynny bob tamad.

Mae'r hen ryfal 'na wedi andwyo Harri bach, medda Mam. Dydi o ddim yn gwbod lle mae o nac yn nabod ei fam ei hun. Finna'n meddwl mai wedi blino roedd o ac na fydda fo fawr o dro'n dŵad ato'i hun, rŵan ei fod o'n ôl yn Llwybrmain. Fe ofynnodd Mam i mi o'n i'n cofio deud y bydda Nel Tomos yn cael lot o bres 'tasa Harri'n cael ei ladd. O'n, yn cofio'n iawn, ac yn difaru 'mod i wedi deud peth mor wirion. Ac ro'n i'n deall be oedd hi'n ei feddwl pan ddeudodd hi, 'A faint o werth sydd ar ei fywyd o heddiw, Ifan?'

Mae Mam wedi mynd draw i Tŷ Pen eto, i gadw cwmpeini i Nel Tomos. Doedd ganddi neb ond Harri, a rŵan mae rhyfal ym mhen draw'r byd, nad oedd 'nelo fo ddim byd â pobol Pesda, wedi'i ddwyn o oddi arni hi, er na chafodd o mo'i ladd. Ddaw hi byth ati'i hun, ond fe ddaw Mam trwyddi, am fod ganddi Tom a finna, a'r tri ohonon ni'n gwmpeini i'n gilydd.

Dydd Sul, Mai 11

Mae gan Grace Ellis gariad. Un diarth ydi o, medda Tom, a golwg bwysig arno fo. Roedd o wedi gweld y ddau yn y pentra neithiwr, ond fe wnaeth yn siŵr na welson nhw mohono fo. Falla nad oedd hynny ddim o 'musnas i, ond fedrwn i ddim peidio deud 'mod i'n meddwl y bydda Tom wedi gneud gwell cariad iddi o lawar na'r peth diarth 'ma, pwy bynnag ydi o. 'A be sydd gen i i'w gynnig iddi hi?' medda fo.

Mi wn i fod Tom cyn dlotad â llygodan eglwys, ond fydda hynny ddim yn poeni Grace. Dim posib ei bod hi'n fyr o bres a nhwtha'n cadw siop. Mae'n debyg y bydda Edward Ellis am iddi briodi pregethwr neu dwrna, ond mae hi'n ddigon abal i allu penderfynu drosti'i hun. 'Ffraeo ddaru chi, ia?' medda fi. Ysgwyd ei ben wnaeth o, a deud mai Grace oedd wedi troi arno fo am gyboli efo Now Morgan a dinistrio eiddo pobol. Ond roedd hynny fisoedd yn ôl, a dydw i ddim yn meddwl fod Tom wedi bygwth neb na thaflu'r un garrag byth ers hynny.

Chafodd Tom ddim cyfla i egluro'r adag honno, medda fo, a doedd o ddim yn gweld unrhyw bwrpas mewn gneud hynny wedyn a hitha wedi dangos yn glir be oedd hi'n ei feddwl ohono fo. O ddyn reit gall, mae Tom yn gallu bod yn rêl ffŵl weithia. Ond mae o wedi colli Grace rŵan, ac arno fo mae'r bai.

Dydd Mawrth, Mai 13

Roedd syr wedi bod yn gweld y brenin newydd a'i wraig ym Mangor. Dydi o ddim yn frenin eto, ran hynny, ond mi fydd cyn pen dim. Aros yn y Faenol yr oeddan nhw. Rhyw ddyn efo enw crand a digonadd o bres sy'n byw yn fan'no. Mae pobol wedi bod yn talu swllt yr un am gael gweld y stafelloedd. Swllt cyfa! Fe alla Mam gael llond basgiad o fwyd am hynny. Mae'n gwilydd eu bod nhw'n gallu fforddio gwario ar beth mor wirion.

Gweld bai ar bobol Pesda am beidio rhoi baneri allan oedd syr. Dydi'r ffaith eu bod nhw ar streic ddim yn esgus dros fod yn annheyrngar i'r tywysog, medda fo.

Mae 'na rai'n dechra gweld bai ar arweinwyr y streic,

a rhywun sy'n galw'i hun yn *Moel Hebog* wedi gyrru llythyr i un o'r papura yn deud eu bod nhw wedi camarwain a thwyllo'r gweithwyr. Roedd o'n ormod o gachgi i roi ei enw go iawn. Mae o'n credu ei bod hi'n hen bryd iddyn nhw gyfadda mai'r Lord oedd yn iawn o'r dechra, gan nad oedd ganddyn nhw obaith ennill. Mae 'na wyth gant a hannar yn gweithio'n y chwaral erbyn hyn, a phawb yn hapus ac yn fodlon, yn ôl Mr Young. Ond sut medar bradwyr fod yn hapus?

Dydd Mawrth, Mehefin 3

Mae'r rhyfal yn Ne Affrica drosodd a Phrydain Fawr yn brolio eu bod nhw wedi ennill buddugoliaeth, er bod 'na ddega o filoedd wedi cael eu lladd. Pitïo dros y gwragadd gweddwon a'r plant amddifad oedd Mam. Finna'n meddwl am Harri bach heb fod ddim callach ei fod o wedi'u helpu nhw i gael y gora ar y Boers. Ro'n i'n arfar meddwl fod rheiny'n bobol ddrwg, ond dydyn nhw ddim, medda Tom. Ymladd dros eu hawlia oeddan nhw, fel rydan ni. Mi dw i'n difaru rŵan 'mod i wedi mynnu i Joni fod yn Boer a chymryd ei ladd bob tro roeddan ni'n chwara rhyfal.

Ro'n i wedi meddwl galw i weld Grace Ellis ddoe, ond pan edrychas i drwy ffenast Bristol House pwy oedd yn sefyll wrth y cowntar ond syr. Roedd y drws yn gil agorad ac mi fedrwn ei glywad o'n deud, 'Mi alwa i amdanoch chi 'run amsar ag arfar, Miss Ellis.' Dyna pwy ydi 'i chariad newydd hi, felly. Synnu o'n i na fydda Tom wedi'i nabod o, ond fydd o byth yn dŵad yn agos i'r ysgol, ran hynny. Fedra fo ddim aros i adal y lle, a mynd i'r chwaral. Rydw inna wedi cael llond bol ar fod yno hefyd, ac ar y Mr Owen 'na. Wn i ddim sut mae Grace Ellis yn gallu'i ddiodda fo.

I ffwrdd â fi nerth fy nhraed cyn iddo fo 'ngweld i, a diflannu i mewn i Siop Fach. Roedd y lle'n llawn dop. Dydi Miss Pritchard ddim yn un i wrthod lab i neb, ac mae pobol yn cymryd mantais. Roedd gen i ofn iddyn nhw feddwl mai dyna pam o'n i yno, ond chymerodd neb sylw ohona i. Roeddan nhw'n rhy brysur yn gwrando ar Catrin Morris. Fydda fiw iddyn nhw beidio. Deud oedd hi fod 'na ryw ddyn wedi bod yn y tŷ yn dannod mynd â'r goes bren oddi ar Dic Potiwr. 'Richard druan' ddaru hi ei alw fo. A dyna ydi o hefyd, yn gorfod byw efo

Catrin Morris. Roedd rhywun wedi prepian ei fod o wedi bygwth boddi'r Lord, ond mae'r goes yn dal ganddo fo, diolch iddi hi.

Pan symudas i'n nes at y cowntar, dyna hi'n gafal yn fy mraich i ac yn deud, 'Paid ti â meiddio dwyn 'y nhro i, y cena bach.' Mae ganddi andros o ddwylo calad. Mi fydda'n well gen i ddiodda cansan na chael celpan gan honna. Thalodd hi ddim am ei negas, dim ond deud ei bod hi wedi gadal ei phwrs adra ac y bydda hi'n setlo drannoeth. A Miss Pritchard, sy'n edrych fel 'tasa hi heb gael tamad o fwyd ers dyddia, ormod o'i hofn hi i ddeud 'run gair.

Dydd Mercher, Mehefin 18

Chymeris i ddim arna 'mod i wedi gweld na chlywad syr yn Bristol House nes i Tom ofyn, 'Sut un ydi dy ditsiar di, Ifan?' Mi ddylwn fod wedi meddwl y bydda fo'n siŵr o holi pwy oedd cariad Grace Ellis, a fydda waeth i mi fod wedi deud ddim. Mi rois i wbod iddo fo reit sydyn sut un ydi Mr Owen. Byth yn gwenu – fedar o ddim, am wn i; byth yn siarad Cymraeg – wn i ddim fedar o neud hynny chwaith; yn meddwl yn uchal o'r Lord, ac yn deall dim am na chwaral na streic. 'Dw't ti ddim rhy hoff ohono fo, felly?' medda fo. 'Argol fawr, nag'dw,' medda finna. 'A fydd Grace Ellis ddim chwaith unwaith y daw hi i'w nabod o. Faswn i'm yn poeni 'taswn i chdi. Fydd o ddim yma'n hir, gei di weld.' Gwadu ei fod o'n poeni wnaeth o, a mynnu fod Grace yn rhydd i ganlyn pwy myn hi.

Mi dw i'n cofio Nhad yn deud, pan fuo'r helynt rhyngdda i a Joni, ei bod hi'n biti fod hogia oedd yn gymaint o ffrindia wedi troi'n elynion. Falla nad ydi Grace a Tom wedi ffraeo go iawn, nac yn teimlo fel darn-ladd ei gilydd, ond dydi o ddim tamad o ots ganddi hi am Tom neu fydda hi ddim yn cyboli efo'r Mr Owen 'na. A 'tasa gan Tom ddigon o feddwl ohoni hi fe fydda wedi trio egluro iddi, yn lle mynd i guddio yn y cwt. Dydd Sul ofnadwy oedd hwnnw, pan ddaru'r hen glochydd 'na fy martsio i fyny'r allt a deud wrth Mam y dyla fod ganddi gwilydd ohona i. Ac fe ddyla fod gan Tom a Grace gwilydd hefyd. Siawns nad ydyn nhw'n ddigon hen i wbod yn well.

Dydd Sadwrn, Ebrill 7

Doedd yr hyn sgwennas i dydd Merchar dwytha ddim cweit yn iawn. Deud ddaru Nhad mai wedi cael ein gorfodi i droi'n elynion oedd Joni a fi. Meddwl am y streic oedd o. A dyna ydw inna wedi bod yn ei neud drwy'r dydd heddiw. Testun pregath Mathew Jones bora 'ma – 'Os bydd tŷ wedi ymrannu yn ei erbyn ei hun, ni ddichon y tŷ hwnnw sefyll' – wnaeth i mi ddechra meddwl, er na soniodd o ddim byd am Pesda na'r streic.

Adag y cloi allan, roedd pawb yn sefyll efo'i gilydd, fel un teulu mawr. Ond be ddigwyddodd? Cannoedd yn gadal am y Sowth a Lloegar, dynion oedd wedi addo bod yn ffyddlon hyd anga yn sleifio'n ôl i'r chwaral, a'r adar duon yn gorfod symud o'u tai am fod ganddyn nhw ofn, ac yn troi'n eglwyswrs am nad oedd pobol capal ddim isio nhw yno.

Pan oedd Grace Ellis yma, fe ofynnodd Mam iddi oedd hi'n gweld unrhyw bwrpas i'r streic. Roedd hi'n credu fod 'na bwrpas pan gerddodd y dynion allan, medda hi, ond hyd yn oed os enillwn ni fe fydd y gollad yn llawar mwy. Oni bai am y streic, fydda Joni a finna ddim wedi troi'n elynion. Fe fydda Nhad yma efo ni, tuniau bwyd i'w llenwi a sgidia angan dwbin, y rhent yn cael ei dalu, a Mam yn teimlo'n saff. Fydda gen i ddim poen yn fy stumog o isio bwyd drwy'r amsar, ac mi fedrwn i edrych ymlaen at gael gadal 'rysgol. Ond dydi o ddim yn deg beio'r streic. Pobol ydi'r drwg, yn troi cefna ar ei gilydd, a'i gneud hi'n anoddach i'r rhai na wnân nhw byth dorri'u haddewid sefyll yn erbyn y Lord.

Dydd Sadwrn, Mehefin 28

Roedd y tywysog i fod i gael ei goroni'n frenin ddydd Iau dwytha, ond mae o wedi bod yn sobor o sâl. Fe fydda'n biti iddo fo golli'r cyfla ac ynta wedi aros mor hir. Pan ofynnodd syr i ni weddïo drosto fo, ro'n i'n ddigon bodlon gneud hynny. Fe fydda'i fam yn poeni rŵan ei bod hi wedi deud nad oedd o ddim ffit i fod yn frenin. Dydw i ddim yn meddwl llawar ohoni, yn deud peth felly am ei mab ei hun.

Dydd Sadwrn, Gorffennaf 5

Fe aeth Mam i lawr i'r pentra heddiw, am y tro cynta. Wnes i ddim cynnig mynd efo hi. Mi wyddwn y bydda hi'n galw yn Bristol House, a doedd gen i ddim mymryn o awydd gweld Grace Ellis.

Ond fydda waeth i mi fod wedi mynd. Dim ond Edward Ellis oedd yno. Does gan Mam ac ynta fawr i'w ddeud wrth ei gilydd. Mi dw i'n meddwl ei bod hi wedi digio wrtho fo am fynnu fod Grace yn gadal yr ysgol a hitha wedi gobeithio cael mynd yn ditsiar. Wedi mynd i Fangor am y pnawn efo ryw Mr Owen oedd Grace, medda fo. Ro'n i'n falch nad oedd Tom yno pan ofynnodd Mam, 'Wyddost ti pwy ydi'r Mr Owen 'ma, Ifan?' 'Ffrind newydd Grace Ellis,' medda fi. 'Mwy na ffrind, yn ôl pob golwg,' medda hitha. 'Roedd Edward Ellis yn ei ganmol o'n arw ac yn deud ei fod o'n selog iawn yn y capal.'

Ro'n i'n meddwl y bydda Grace wedi hen flino arno fo erbyn hyn. A fedrwn i ddim deall chwaith be oedd o'n ei neud yn y capal ac ynta'n meddwl gymaint o'r Hen Fam â Robat Jôs Gwich. Roedd gen i ofn i Mam holi rhagor, ond dim ond gofyn ddaru hi oedd Tom yn gwbod fod Grace yn canlyn, ac ochneidio pan ddeudis i ei fod o.

Dydd Sadwrn, Gorffennaf 12

Wn i ddim be oedd yn bod ar Tom pan ddaeth o adra o'r cyfarfod heno. Roedd pawb oedd yno'n benderfynol o ddal ati, medda fo, ac yn barod i ddiodda i'r pen. Fe ddyla hynny fod wedi codi'i galon, ond golwg ddigalon oedd arno fo.

Dydd Sul, Gorffennaf 13

Mi wn i rŵan be oedd yn poeni Tom. Roedd Mam wedi picio i Tŷ Pen pan ddeudodd o wrtha i, ac rydan ni'n dau'n meddwl y bydda'n well iddi hi beidio cael gwbod. Er bod y cora'n dal i deithio o gwmpas, mae pobol yn blino rhoi o hyd, a rhai'n cwyno fod y streic wedi para'n rhy hir. Mae pres y Gronfa'n mynd yn llai ac yn llai, ac os aiff petha ymlaen fel hyn fydd 'na ddim byd ar ôl. Pan ofynnodd trysorydd yr Undab neithiwr oeddan nhw'n barod i ddiodda mwy o galedi a gorfod ymladd y frwydr ar eu penna'u hunain heb ddim help o'r tu allan, roedd pawb wedi bloeddio, 'Ydan', nes bod y neuadd yn crynu. Ond dydi Tom ddim yn credu fod eu hannar nhw'n sylweddoli pa mor galad fydd hi, a hyd yn oed os ydyn nhw'n ddigon cry i allu dal fe fydd gorfod edrych ar eu gwragadd a'u plant yn diodda yn ormod i'r rhan fwya. Mi wnes i iddo fo addo na fydd o'n rhoi i fyny, gan y bydda'n well gen i fyw ar grystyn sych na gorfod rhannu tŷ efo bradwr.

Dydd Gwener, Gorffennaf 18

Fydd dim rhaid i mi neud y tro ar grystyn, am sbel beth bynnag. Mae ganddon ni ddigon o datws i'n cadw ni i fynd, ac i'w rhannu efo Nel Tomos a Harri bach hefyd. Er bod yn biti gen i weld y rhesi taclus yn cael eu chwalu, ro'n i wrth fy modd yn ysgwyd y tatws yn rhydd o'r gwlŷdd a theimlo'r pridd yn hidlo rhwng fy mysadd. Dyna gawson ni i swpar, ac roeddan nhw'r tatws gora ydw i erioed wedi'u blasu. Rydw i mor falch i mi neud ffrindia efo Adda, y mochyn, ac yn pitïo na fydda fo yno rŵan i gael llond ei fol o grwyn tatws.

Mae cadar Nhad yn dal yn yr un lle, ond does 'na neb, hyd yn oed Mathew Jones y gweinidog, wedi cael ista arni hi. Gas gen i ei gweld hi'n wag. Ro'n i'n meddwl yn siŵr heno, wrth weld Mam yn croesi ati ac yn rhwbio'r coed efo'i ffedog, ei bod hi am ddeud wrth Tom mai fo pia hi rŵan, ond wnaeth hi ddim. Cadar Nhad fydd honna, am byth.

Dydd Mercher, Gorffennaf 23

Rydw i wedi dechra darllan *Yr Herald*, er mwyn cael gwbod be sy'n digwydd. Mae o'n llawn o eiria anodd, fel sy'n y Beibil, ond fiw i mi ofyn i Mam eu hegluro nhw i mi. Dydi papura newydd yn da i ddim ond i gynna tân, medda hi.

Fe gafodd pawb sy'n gweithio ym Mraich y Cafn godiad cyflog dydd Sadwrn dwytha i ddathlu fod y Tywysog wedi dŵad ato'i hun, ac am gael bod yn frenin wedi'r cwbwl. Roedd 'na gyfarfod mawr wedi bod yn y chwaral, i ddiolch i'r Lord. Rhagor o helynt fydd 'na rŵan, medda Tom.

Dydd Mawrth, Gorffennaf 29

Roedd o'n iawn. Mae 'na ddau ddyn o Rhiwlas wedi cael dirwy o dair punt a chweugian yr un am falu ffenestri. Roeddan nhw wedi deud yn y llys nad ydi'r plismyn yn gneud dim ond palu celwydda am bobol

Pesda, a bod ynadon Bangor yn credu bob gair. Ond dim ond hannar coron o ddirwy gafodd un o'r bradwyr am fygwth rhai o'r streicwyr a'u herio nhw i gwffio. Dydi hynna ddim yn deg.

Mae pobol ddrwg yn ei chael hi'n llawar brafiach, a dydyn nhw'n malio dim mai'r tân mawr fydd eu diwadd nhw. Ond pa gysur i bobol dda ydi gwbod mai i'r nefoedd y byddan nhw'n mynd, os ydyn nhw'n llwgu?

Dydd Mawrth, Awst 12

Mae'r brenin wedi cael ei goroni o'r diwadd. Roedd pobol wedi dechra dathlu yn Llundan am hannar awr wedi pedwar bora Sadwrn. Mae'n rhaid nad ydi be ddeudodd ei fam amdano fo'n poeni dim arnyn nhw.

Doedd pobol Pesda ddim yn teimlo fel dathlu. Fe fu clycha eglwysi St Ann a Glanogwen yn canu am sbel, ac mae'n deud yn y papur fod rhai pobol wedi bod yn chwifio baneri i ddangos eu parch i'r brenin. Eglwyswrs oeddan nhw, mae'n siŵr. Fe fydda syr o'i go. Ond mae o wedi mynd adra dros y gwylia, diolch byth. Oes gan Grace Ellis hiraeth amdano fo, tybad? Does gen i ddim.

Y streic sy'n cael y bai eto.

Dydd Gwener, Awst 22

Dydw i ddim wedi cael eiliad o lonydd ers i'r ysgol gau. Mae 'na fabi newydd yn nhŷ Ned a dydi Magi Ann, ei fam o, ddim hannar da. Does 'na neb ond Ned a fi i edrych ar ôl y tri arall, gan fod Jac Gwil, ei dad, wedi mynd am y Sowth ers wythnosa. Roedd o wedi addo anfon pres adra, ond dydyn nhw ddim wedi gweld 'run ddima hyd yma.

Ro'n i'n meddwl fod Beni Mos ddigon drwg, ond mae rheina'n ddigon i yrru rhywun yn hurt bost. Dim rhyfadd fod Jac Gwil wedi'i heglu hi odd'no ac anghofio amdanyn nhw.

Doedd gen i ddim mymryn o awydd cychwyn am Danybwlch bora 'ma. Roedd meddwl am orfod llusgo'r tri yna o gwmpas efo fi am ddwrnod arall yn gneud i mi frifo drosta. Ond rydw i wedi cael fy arbad! Mae nain Ned wedi cyrraedd. Nid y nain gafodd ei gyrru i'r seilam – ddaw hi byth odd'no – ond nain Gerlan, mam ei fam a modryb Gwen Mary.

Pan gyrhaeddas i, roedd dau o'r plant yn sgrechian fel 'tasan nhw ddim hannar call. Dydyn nhw ddim chwaith, rhan fwya o'r amsar. A dyna nain Gerlan yn sodro'r babi

143

yn fy mreichia i, yn gafal yn y ddau, un ym mhob llaw, ac
yn taro'u penna'n erbyn ei gilydd nes eu bod nhw'n
clecian. Roedd golwg ddigri arnyn nhw, yn sefyll yno a'u
cega'n gorad, a dim smic yn dŵad allan.

Fe gymerodd hi'r babi'n ôl wedyn, er fy mod i'n ddigon
hapus yn ei ddal o. Fyddwn i ddim wedi malio gwarchod
hwnnw am y pnawn. Fydda fo ddim traffarth, gan ei fod
o'n cysgu drwy'r amsar. Mae o'n beth digon del hefyd,
ond pan ddeudis i hynny, edrych i gyfeiriad mam Ned
wnaeth hi a sibrwd, 'Dim ond ceg arall angan ei bwydo.'

Dydd Iau, Awst 28

Fe aeth Ned a finna i hel pricia i Mam a nain Gerlan
heddiw. Roedd Mam am neud bara ceirch, a does 'na
ddim curo ar dân coed, medda hi. Peth braf ydi cael
llonydd, heb neb yn sgrechian ac yn swnian. Dydw i
ddim am briodi na chael plant. Wn i ddim be wnaiff
Tom, rŵan ei fod o wedi colli Grace Ellis, ond y cwbwl
ydw i i isio ydi cael gweithio ym Mraich y Cafn a dŵad
adra at Mam.

Roedd hi wrthi'n cymysgu ceirch mân efo ceirch bras
mewn powlan pan gyrhaeddas i'n ôl. Mi rois i'r radall ar

y tân a haffliad o bricia 'dani. A dyna hi'n gofyn, 'Ydi Magi Ann wedi clywad rwbath o'r Sowth bellach?' 'Dim gair,' medda fi, 'ac mae nain Gerlan wedi gorfod mynd i fegian ar modryb Gwen Mary.' 'Achos diolch sydd ganddon ni,' medda Mam, 'mae 'na rywun bob amsar yn waeth allan, does?'

Mae'r bara ceirch wedi cael eu rhoi mewn bagia papur brown a'u hongian wrth y distia i oeri. Er 'mod i'n ofnadwy am datws, mi fydd yn braf cael brwas am newid. Blino ar hwnnw wna i hefyd, mae'n siŵr, er mai diolch ddylwn i nad oes raid i ni fynd i fegian ar neb.

Dydd Llun, Medi 15

Mae 'na steddfod fawr wedi bod mewn pafiliwn ym Mangor, a honno'n para am wythnos. Roedd Tom wedi bod yn edrych ymlaen at gael mynd yno ddydd Iau, i glywad Lloyd George yn siarad. Fe gafodd andros o groeso – pobol ar eu traed yn gweiddi ac yn chwifio'u hetia, a fedrodd o ddeud 'run gair am bum munud cyfa. Ond doedd Tom ddim fel 'tasa fo wedi mwynhau ei hun o gwbwl.

Roedd syr wedi cael pnawn i ffwrdd i fynd yno hefyd.

Fe gawson ni hanas y steddfod ganddo fo ddydd Gwenar, ond soniodd o ddim byd am Lloyd George. Falla ei fod o'n meddwl, fel Robat Jôs Gwich, mai yn jêl C'narfon dyla fo fod, ac nid ar lwyfan y pafiliwn. Mi fentras i ofyn i Tom oedd o wedi gweld Mr Owen, Bodfeurig yno. Roedd o wedi cael cip arnyn nhw'n cerddad fraich ym mraich drwy Barc yr Esgob, medda fo. Doedd dim rhaid i mi ofyn pwy oeddan 'nhw'.

Cymryd arno ei fod o'n siomedig na ddaru Lloyd George ddim dal ar y cyfla – fel mae o wedi gneud lawar gwaith – i ganmol pobol ddewr Pesda am ddal eu gafal ar waetha pob dim, wnaeth Tom. Ond mi wn i nad dyna ddaru ddifetha'r dwrnod iddo fo.

Dydd Mercher, Medi 24

Mae'n deud yn yr *Herald* fod 'na ffenestri wedi cael eu torri yn Rhiwlas. Synnwn i ddim nad Now Morgan sydd wrthi. Roedd nain Gerlan wedi'i weld o'n sleifio am adra yn hwyr nos Sadwrn dwytha. Fydd o byth yn mynd i'r cyfarfod yn y neuadd rŵan. Siarad gwag oedd y cwbwl, medda fo.

Mi dw i'n cofio meddwl nad oes 'na neb yn gneud

gwyrthia heddiw, ond mae nain Ned wedi gallu gneud rwbath reit debyg, er nad ydi hi'n sant, o bell ffordd. Pwy arall fydda wedi gallu cael pres gan modryb Gwen Mary? Wn i ddim be wnaeth hi, begian ynta bygwth. 'Tasa Jac Gwil yn gwbod hynny, a bod y tri yna wedi callio gymaint, fydda fo fawr o dro'n dŵad yn ei ôl. Ond dydw i ddim yn credu fod ots ganddyn nhw ddaw o ai peidio, cyn bellad â bod nain Gerlan yno. Pan ddeudis i wrthi 'mod i'n meddwl ei bod hi'n ddynas a hannar, dyna hi'n rhoi dima o bres modryb Gwen Mary i mi. 'Wedi gorfod bod, Ifan bach,' medda hi. Nid deud er mwyn cael pres o'n i, ond am fy mod i'n meddwl hynny o ddifri. Does gen i 'run nain, na thaid chwaith, ond fyddwn i ddim yn malio cael nain fel honna, sy'n gallu setlo pawb a phob dim.

Dydd Sadwrn, Medi 27

Mae Tom wedi bod yn mynd i weld Mr Parry, Coetmor Hall, bob dydd Gwenar ers wythnosa i ofyn am waith yn Chwaral Pantdreiniog, ond cael ei siomi mae o – bob tro.

Dydd Gwener, Hydref 3

Aros am Tom wrth dro capal Amana o'n i pan welas i o'n dŵad i fyny'r allt. Mi fedrwn ddeud ar ei osgo mai wedi cael ei siomi oedd o unwaith eto. Wyddwn i ddim be i'w ddeud wrtho fo, ac mi rois i naid i'r cae a swatio yno am sbel cyn cerddad yn fy nghwman efo'r clawdd. Ro'n i hannar ffordd i fyny Llwybrmain pan ges i bigyn yn f'ochor ac fe fu'n rhaid i mi stopio i gael fy ngwynt. Dyna pryd glywas i Tom yn gofyn, 'Be w't ti'n neud yn fan'ma?' a llais Now Morgan yn atab, 'Aros amdanat ti. Mae gen i rwbath i'w ddeud wrthat ti.' Doedd Tom ddim isio clywad beth bynnag oedd ganddo fo i'w ddeud, medda fo. Do'n inna ddim chwaith, ond doedd gen i ddim dewis.

Mae Now Morgan, Tanybwlch, fydda'n arfar brolio nad oedd ganddo fo ofn na dyn na diafol, yn mynd i'r Sowth at Dei, ei frawd. Gwrthod credu hynny wnaeth Tom ar y dechra. Ei gofio fo'n deud, y dwrnod yr aeth o i ddanfon Dei i'r stesion, y dyla'i fam ddiolch fod ganddi un mab oedd â digon o asgwrn cefn i sefyll ei dir, oedd o mae'n siŵr. Roedd un o'r adar duon wedi saethu at griw ohonyn nhw oedd yn taflu cerrig at ei dŷ o neithiwr.

148

Chafodd Now mo'i daro, na'i ddal gan y plismyn oedd wedi cael eu galw yno chwaith, ond dyna sy'n mynd i ddigwydd ryw ddwrnod, medda fo, ac fe fydda jêl yn ddigon amdano fo.

Synnu o'n i fod Tom wedi medru dal heb edliw i Now gymaint o weithia mae o wedi mynnu y bydda fo'n dal ati, i'r pen. Falla ei fod o'n meddwl mai cadw'n ddistaw oedd y peth calla. Ro'n i wedi cyffio erbyn hynny, ac yn gobeithio y bydda Now'n ddigon call i gau ei geg hefyd, ac ynta wedi gorfod cyfadda ei fod o gymaint o gachgi. Ond wnaeth o ddim.

Poeni am Daniel Ellis oedd o, medda fo, ac yn difaru tynnu arno fo. Dim ond herian oedd o neithiwr wrth ddeud y bydda codi carrag yn ormod i gyw pregethwr, heb sôn am ei thaflu hi, a doedd o ddim wedi meddwl am eiliad y bydda hwnnw'n mynnu mynd efo nhw. Fedrwn i ddim credu 'nghlustia, ond ches i ddim amsar i feddwl rhagor am y peth. Mae'n rhaid fod Tom wedi gwylltio'n gacwn neu fydda fo byth wedi deud y dyla Now ei heglu hi odd'ma gynta medar o, a mynd â'i wenwyn i'w ganlyn. Fetia i nad oes 'na neb wedi meiddio siarad fel'na efo Now o'r blaen. Mae o wedi gadal ôl ei ddyrna ar sawl un am lawar llai. Ond dim ond mwmblan wnaeth o y bydda Tom yn difaru deud hynny. 'Mi ddylwn fod wedi'i ddeud o ymhell cyn hyn,' medda ynta, a chroesi am y tŷ. Ro'n i mor falch o glywad sŵn y giât yn cau. Y munud nesa, roedd Now yn gadal, ac yn galw dros ei ysgwydd, 'Dos ditha i'r diawl, y babi mam.'

Pan fentras i sbecian dros ben y clawdd, roedd Tom wedi diflannu i'r tŷ a Now'n brasgamu i lawr Llwybrmain, yn sgwario fel arfar. Ond does ganddo fo ddim hawl gneud hynny rŵan.

Dydd Sadwrn, Hydref 4

Fe aeth Tom allan yn syth ar ôl brecwast heb hyd yn oed deud 'Pen blwydd hapus' wrtha i. Mathew Jones, y gweinidog, oedd wedi gofyn iddo fo fynd yno i dacluso'r ardd. Mi ddylwn fod wedi cynnig helpu, ond doedd gen i ddim mymryn o awydd ac ynta wedi anghofio 'mod i flwyddyn yn hŷn heddiw.

Wedi iddo fo adal, dyna Mam yn croesi at y cwpwrdd ac yn estyn cyllall bocad Nhad o'r drôr. 'I chdi mae hon, Ifan,' medda hi. Fe fydda'n ei chadw hi ym mhocad ei gôt liain, ac mae llwch wedi c'ledu rhwng y llafna. Rydw i'n ei gofio fo'n gneud chwiban i mi allan o ddarn o onnen. Ar ôl naddu'r pen chwibanu a thorri agoriad bach ar siâp V, roedd yn rhaid gwlychu'r pren a'i guro fo'n ysgafn efo cefn y gyllall er mwyn cael y croen i ffwrdd. Naddu'r lle gwynt allan wedyn, a rhoi'r croen yn ôl yn ei le, a dechra chwythu. Falla y rho i gynnig ar neud un, ond mi fydd yn rhaid i mi aros tan y gwanwyn. Fe fydd Twm Mos yn defnyddio'i gyllall o i roi min ar ei bensal garrag, ond a' i ddim â hon yn agos i'r ysgol rhag ofn i rywun ei dwyn hi. Er mai cyllall Nhad fydd hi, am byth, fi sydd pia hi rŵan.

Doedd Tom ddim wedi anghofio. Roedd o wedi gwrthod cymryd pres gan Mathew Jones ac wedi gofyn tybad oedd ganddo lyfr i'w sbario, gan ei bod hi'n ben blwydd arna i. Nid *Cymru'r Plant* ges i tro yma, ond llyfr go iawn. *Straeon y Pentan* ydi'i enw fo, ac mae 'na lun o goits fawr yn cael ei thynnu gan ddau geffyl ar y clawr. Mae gen i gwilydd cyfadda 'mod i'n falch i Tom wrthod y pres a ninna gymaint o'u hangan nhw, ond fedra i ddim aros i ddechra darllan hwn.

Dydd Gwener, Hydref 10

Roedd gen i ofn y byddwn i'n cael tafod gan Mam am wastraffu canhwylla, ond dim ond deud wnaeth hi nad ydi craffu fel'na bob nos yn gneud dim lles i 'ngolwg i. Dydw i'n malio dim am hynny, na bod syr wedi rhoi sgytwad i mi am slwmbran wrth fy nesg heddiw. Ar wahân i'r gyllall, y llyfr yma ydi'r peth gora ydw i wedi'i gael erioed.

Mi glywas i Mam yn gofyn i Tom neithiwr, 'Ydi'r hen lyfr straeon 'na'n ffit i'r hogyn, d'wad?' Ond roedd hi i weld yn ddigon hapus pan ddeudodd Tom fod Mathew Jones yn canmol Mr Daniel Owen, yr awdur, yn arw ac yn deud fod collad fawr ar ei ôl. Roedd o'n ddyn parchus iawn, medda fo, ac wedi bod yn Ngholeg y Bala i ddysgu mynd yn bregethwr. I fan'no roedd Daniel Ellis am fynd. Ond er bod y Daniel yma'n bregethwr hefyd, mae'n rhaid nad oedd o ddim byd tebyg i hwnnw.

Y stori ora ydi honno am Edward Cwm Tydi, oedd yn diodda o'r crydcymala ac yn methu symud o'i wely. Roedd y doctor wedi paratoi ffisig iddo fo ac wedi deud wrth Wil ei was am sgwennu ar y botal, 'It must be well shaken before taken'. Ond fe roddodd Wil 'he' yn lle'r 'it', a dyna lle buo Ann, chwaer Edward, ac Abram y gwas yn ysgwyd yr hen ddyn am hydoedd nes ei fod o'n gweiddi mwrdwr. Pan glywodd Edward ei fod yn deud ar y botal fod yn rhaid ei ysgwyd o dair gwaith y dwrnod, dyna fo'n codi o'i wely'r munud hwnnw. Drannoeth, fe ddaeth y doctor i Gwm Tydi a holi, 'Sut mae Edward heddiw, Ann?' 'Dydw i ddim yn meddwl fod y ffisig wedi gneud fawr o les,' medda hitha. 'Ond fe ddaru'r ysgwyd neud daioni mawr iddo fo.'

Ro'n i wedi meddwl adrodd y stori wrth Mam, ond

falla y bydda hi'n gweld bai ar Daniel Owen am neud sbort am ben dyn sâl ac yn deud nad ydi'r llyfr ddim ffit i mi ei ddarllan, er mai pregethwr ddaru'i sgwennu o.

Dydd Sadwrn, Hydref 18

Mi dw i wedi bod isio sgwennu yn hwn, ond fedrwn i ddim tan heno.

Ro'n i'n hwyr yn codi bora ddoe – wedi bod yn darllan tan berfeddion. Pan gyrhaeddas i'r ysgol, roedd Ned yn sefyll wrth y giât â golwg wyllt arno fo. Roedd o wedi clywad Twm Mos yn deud wrth griw o blant bradwrs ei fod o am fy narn-ladd i am fygwth Joni'i gefndar. 'Mae o wedi deud hynna lawar gwaith,' medda finna, ond pan welas i wynab Twm Mos mi wyddwn ei fod o ddifri tro yma. Doedd gen i ddim mymryn o'i ofn o, ond ro'n i wedi addo i Dduw na fyddwn i byth yn cwffio efo neb eto. Dyna pam arhosas i yn y stafall amsar chwara. Ond fe ddaeth syr yno a gofyn, 'Why are you still here, boy?' Esgus nad o'n i'n teimlo'n dda wnes i. Mi ges andros o sioc ei glywad o'n deud, yn Gymraeg, y bydda awyr iach yn gneud lles i mi.

Pan es i allan i'r iard, roedd Twm Mos yno a'i ddyrna i

fyny, a phawb yn sgrialu o gwmpas, yn ysu am weld ffeit. Chodas i mo 'nyrna. Doedd fiw i mi, a finna wedi addo, neu yn uffarn y byddwn i ar fy mhen. Ond pan waeddodd Ned, 'Rho waldan iddo fo, Ifan!' dyna Twm Mos yn rhuthro amdana i, fel tarw. Mae 'mhen i'n ddigon calad, ond mae pen hwnna fel darn o graig. Fedrwn i weld dim byd am funud, a wnes i'm sylwi fod y lle wedi mynd yn ddistaw nes i mi glywad syr yn gweiddi, 'Stop this, at once!'

Mae fy llaw i'n brifo gormod i allu sgwennu rhagor rŵan.

Dydd Sul, Hydref 19

Credu Twm Mos wnaeth syr pan ddeudodd hwnnw 'mod i wedi bygwth ei ladd o. Mi wnes inna wylltio'n gacwn a'i alw fo'n g'lwyddgi cythral. Ddylwn i ddim fod wedi rhegi fel'na, ond mi fydda'n well gen i fod wedi cael fy lempio na diodda bai ar gam. Pan ddeudis i nad oedd hynny'n deg, ac nad o'n i wedi gneud dim, fe ddaru syr ein martsio ni am ei stafall. Ond dim ond fi gafodd gansan. Fydd o byth yn cosbi hogia bradwrs. A dydi Twm Mos ddim gwell na un o'r rheiny – gwaeth os rwbath, a'i dad o wedi'i heglu hi o'r chwaral pan oedd petha'n dechra mynd yn ddrwg yno.

Es i ddim adra am oria, ac wedi aros allan fyddwn i oni bai 'mod i'n llwgu. Ro'n i wedi gobeithio gallu bwyta swpar a dianc i'r llofft cyn i Mam oleuo'r lamp. Pan ofynnodd hi o'n i wedi golchi 'nwylo, mi ges i 'nhemtio i gymryd arna fy mod i, er mwyn osgoi helynt. Ond mynnu na fedrwn i ddim wnes i, a rhaffu c'lwydda drwy ddeud 'mod i wedi baglu i lwyn o ddrain wrth chwara sbonc llyffant efo Ned a sgriffio 'nwylo wrth drio fy arbad fy hun. 'Estyn y lamp, Tom, i ni gael golwg arnyn nhw,' medda Mam. Er bod yr olew yn isal, roedd 'na ddigon o ola iddyn nhw allu gweld na fydda drain byth wedi achosi'r gwrymia ar gledra 'nwylo i. 'Ôl cansan ydi hwn,' medda Tom, gan rythu arna i. 'A lle cest ti'r llygad du 'na?' Ro'n i'n meddwl yn siŵr fod Mam yn mynd i ddechra crio pan ofynnodd hi, 'Dw't ti rioed wedi bod yn cwffio eto, Ifan?' a doedd gen i ddim dewis ond cyfadda'r cwbwl.

Roeddan nhw'u dau yn meddwl y dyla Tom fynd draw i'r ysgol bora fory i gael gair efo syr, ond fe ddaru addo peidio pan ddeudis i y bydda fo'n pigo arna i'n waeth fyth wedyn. 'Ond dydi o ddim yn deg fod yr hogyn wedi cael 'i guro ar gam,' medda Mam. Syllu i'r twllwch y tu draw i ola'r lamp wnaeth Tom a deud, yn dawal bach, 'Does 'na mo'r fath beth â thegwch i rai fel ni, Mam, nac unrhyw obaith ei ennill o chwaith.'

Dydd Sadwrn, Hydref 25

Fi aeth i guddio i'r cwt pan welas i Grace Ellis yn dŵad i fyny Llwybrmain pnawn heddiw. Mae'n siŵr y bydda hi'n disgwyl i mi fynd i'w danfon hi, fel arfar, ac yn holi be sy'n fy mhoeni i wrth fy ngweld i mor ddistaw. Dydw i ddim isio iddi feddwl 'mod i'n malio dim amdani hi na'r Mr Owen 'na. Tom sy'n bwysig i mi, nid y nhw. Roedd o wedi mynd i Dŷ Pen at Harri bach, ac ro'n i'n gobeithio y bydda hi wedi gadal cyn iddo fo gyrradd adra.

Ro'n i ar fy ffordd allan o'r cwt, yn meddwl ei bod hi wedi hen fynd, pan glywas i giât tŷ ni yn clepian a llais Tom yn gofyn, 'A pwy sydd wedi sathru ar dy gyrn di tro yma?' 'Chdi,' medda hitha, 'yn gadal i dy frawd bach ddiodda ar gam.' Yn ôl â fi, a chau'r drws yn dynn. Fedrwn i ddim credu fod Mam wedi prepian wrth Grace Ellis 'mod i wedi cael cweir gan syr a hitha'n deud bob amsar mai cadw petha rhwng pedair wal ydi'r peth calla.

Ro'n i'n flin efo Mam ar y pryd, ond dydw i ddim erbyn hyn. Poeni amdana i oedd hi, debyg, ac yn teimlo angan rhannu hynny efo rywun, fel fi efo'r dyddiadur 'ma. 'Tasa hi'n gwbod eu bod nhw'n gariadon, go brin y bydda hi wedi sôn. Ond rydw i'n falch ei bod hi.

Be mae Grace Ellis yn ei feddwl o'i Mr Owen rŵan, tybad? Roedd hi'n swnio fel 'tasa hi o'i cho efo fo am neud i mi ddiodda ar gam. Fedra i ddim deall sut na fydda hi wedi'i nabod o cyn hyn a hitha'n un mor glefar. Rêl hen lwynog ydi o, yn cymryd arno na fedar o ddim siarad Cymraeg, ac yn mynd i'r capal, dim ond er mwyn plesio Grace, mae'n siŵr. Gobeithio y cân' nhw andros o ffrae. Fydda 'na ddim diban iddo fo aros yn Pesda wedyn, gan nad ydi o'n meddwl dim o'r lle na'r bobol.

Dydd Llun, Tachwedd 10

Dydi Mam ddim yn dda o gwbwl. Mae hi'n gwrthod aros yn ei gwely, ac yn mynnu llusgo'i hun o gwmpas y tŷ. Aeth hi ddim i'r capal ddoe, dim ond ista wrth damad o dân drwy'r dydd, yn darllan ei Beibil ac yn taflu cip bob hyn a hyn ar gadar Nhad. Wn i ddim be fyddan ni'n ei neud 'tasa hi'n mynd yn sâl go iawn. Fedran ni ddim galw'r doctor a ninna heb bres i dalu iddo fo.

Pan sonias i am hynny wrth Tom, deud wnaeth o nad ffisig mae hi angan. Wedi bod yn gofalu ei fod o a finna'n cael bwyd mae hi, a gneud hebddo fo ei hun. Ond fydd dim rhaid iddi ddiodda llawar rhagor, medda fo. Falla ei fod o wedi cael addewid gwaith yn Chwaral Pantdreiniog, ac am neud yn siŵr fod pob dim wedi'i setlo cyn deud. Fydd Mam fawr o dro'n mendio unwaith caiff hi wbod hynny.

Dydd Sadwrn, Tachwedd 15

Nid i Chwaral Pantdreiniog y bydd Tom yn mynd, ond i Chwaral Braich y Cafn. Mam ddaru orfod deud wrtha i ei fod o wedi rhoi ei enw. Roedd o'n ormod o lwfrgi i ddeud. Er ein mwyn ni'n dau mae o'n gneud hyn, medda hi. Ond ofynnas i ddim iddo fo neud y fath beth. Ofynnodd hitha ddim chwaith, ond fedar Tom ddim diodda'n gweld ni mewn angan, nac edrych arna i'n gorfod mynd i'r ysgol ar ddim ond crystyn sych sawl bora, a thylla mawr yn yr unig bâr o sgidia sydd gen i. 'Mae pawb 'run fath,' medda fi. 'Pawb ond plant bradwrs.'

Ond mi fydda inna'n un ohonyn nhw rŵan.

Dydd Llun, Tachwedd 17

Erbyn i mi ddŵad adra o'r ysgol heddiw, roedd Tom wedi tynnu'r cerdyn o'r ffenast. Mae'n gas gen i weld ei ôl o ar y gwydyr. Ond dydi Mam ddim fel 'tasa hi'n malio dim am hynny.

Dydd Mercher, Tachwedd 19

Ro'n i ar fai'n meddwl nad ydi Mam ddim yn malio. Fe fuon ni'n siarad am amsar hir heno. Hi oedd yn siarad, o ran hynny, a finna'n gwrando ac yn trio deall. Falla fod rhai pobol yn meddwl fod ildio'n gwilydd, medda hi, ond fydda Tom byth yn mynd yn ôl o ddewis, ac mi fedrwn ni wynebu unrhyw beth ond i ni'n tri dynnu efo'n gilydd. Isio deud o'n i y bydd hynny'n fy ngneud i'n gymaint o fradwr ag ynta, ond wnes i ddim.

Mi ges i andros o fraw pan ddaeth Tom adra o'r pentra. Dydw i erioed wedi gweld golwg mor ddigalon ar neb. Wedi bod yn torri'r newydd i Daniel Ellis oedd o. Roedd hwnnw wedi bod yn gas iawn, ond doedd hynny'n ddim mwy nag oedd Tom yn ei ddisgwyl, ac yn ei haeddu, medda fo. Wn i ddim pam oedd raid iddo fo fynd yno o gwbwl. Dydi'r tri yna ddim ond yn gweld bai ar bawb am bob dim.

Dydd Llun, Tachwedd 24

Fyddwn i ddim wedi codi cyn i Tom gychwyn oni bai i Mam ddeud neithiwr, 'Mi fyddi di'n gefn iddo fo, yn byddi, fory o bob dwrnod?' Pan ddois i lawr, roedd hi'n y gegin gefn, yn syllu ar y ddau dun bwyd ar y silff. Fydda i byth yn crio – dim ond merchad sy'n gneud hynny – ond roedd 'na lwmp mawr yn fy ngwddw i. Llyncu'n galad wnes i, a mynd ati i roi rhagor o ddwbin ar y sgidia chwaral.

Chodas i mo 'mhen pan glywas i Tom yn deud, a'i lais yn gras fel 'tasa fo wedi cael dos o annwyd, 'Mi 'dan ni'n dal yn ffrindia, 'lly? Ofn oedd gen i dy fod ti wedi digio wrtha i.' 'Mi ro'n i,' medda finna, 'ond mi dw i'n meddwl 'mod i'n dallt rŵan.' Ond dydw i ddim. Fyddwn i ddim wedi deud hynny oni bai 'mod i'n gwbod, heb edrych arno fo, ei fod o'n sobor o ddigalon, a bod gen i ofn iddo fo ddechra crio a gneud petha'n waeth nag oeddan nhw, i bawb.

160

Fe fu wrthi am hydoedd yn trio cael y sgidia chwaral am ei draed. Wedi bod yn segur yn rhy hir oeddan nhw, fel ynta, medda fo. Fe aeth Mam a finna i'w ddanfon i ben drws, ond fedrwn i ddim diodda edrych arno fo'n cerdded i lawr Llwybrmain, a finna'n ei gofio fo'n addo i mi na fydda fo byth yn ildio. Ro'n i'n meddwl y bydda Mam yn flin efo fi am beidio aros yno, ond diolch i mi ddaru hi, a deud y daw petha'n haws, mewn amsar. Ond ddôn nhw ddim. Pan adawodd Tom y chwaral, roedd o'n gallu dal ei ben yn uchal a bod yn falch ohono'i hun, ond un o'r adar duon oedd o heddiw, a dyna fydd o am byth, waeth be mae Mam yn ei ddeud.

Dydd Sul, Rhagfyr 7

Rydw i'n ei chael hi'n anodd dŵad i arfar â gweld Tom yng nghadar Nhad. Dydw i ddim yn meddwl ei fod ynta eisia bod yno, ond fedra fo ddim gwrthod cynnig Mam. Deud oedd hi fod Tom wedi haeddu hynny, ond dydi o ddim yn edrych yn gyfforddus o gwbwl ynddi hi.

Fe ofynnodd Mathew Jones i mi heddiw o'n i wedi mwynhau *Straeon y Pentan*, a deud fod croeso i mi gael benthyg un arall o lyfra Daniel Owen. 'Mi fyddi di wrth dy fodd efo hanas Wil Bryan a'r cloc,' medda fo. Falla y byddwn i, ond does gen i ddim awydd darllan, na sgwennu yn hwn chwaith.

Dydd Mercher, Rhagfyr 17

Mi ges i 'nghanmol gan syr heddiw, a doedd Twm Mos ddim dicach 'mod i wedi cael fy syms i gyd yn iawn. Mae'r ddau yn gneud ati i fod yn glên, rŵan eu bod nhw'n gwbod fod Tom wedi mynd yn ôl i'r chwaral. Fydd dim rhaid i mi ofni cael cweir eto, ond mae gwbod pam yn brifo mwy na chansan.

Roedd Mam wedi bod i lawr yn y pentra pnawn 'ma. Doedd 'na fawr o hwyl ar Grace Ellis. 'Falla ei bod hi a'r cariad wedi cael ffrae,' medda fi, gan obeithio eu bod nhw. Ond maen nhw'n dal efo'i gilydd yn ôl pob golwg, er nad ydi Mam ddim callach pwy ydi o. Poeni am ei thad mae Grace, medda hi. Dydi o ddim wedi bod yn fo'i hun er pan ddeudodd Daniel ei fod o wedi rhoi'r gora i bregethu. Ond doedd waeth gen i am yr un ohonyn nhw. Isio gwbod oedd Grace wedi sôn rwbath am Tom o'n i. 'Naddo, 'run gair,' medda Mam, a throi'r stori.

Ro'n i'n meddwl fod Dolig dwytha'n ddigon drwg, ond roedd hwn filwaith gwaeth, er bod ogla plwm pwdin yn llenwi'r gegin a Mam wedi rhoi pishyn tair gwyn ynddo fo, fel y bydda hi cyn y streic.

Yr hen sgidia 'na ddaru ddifetha bob dim. Sgidia newydd ydyn nhw, ran hynny, wedi'u prynu yn y Co-op. 'Gad i ni weld os ydyn nhw'n ffitio'n iawn,' medda Tom. Ond eu gadael lle'r oeddan nhw wnes i, a mynd allan i'r ardd. Mi fydda'n well gen i ddiodda traed gwlyb a mentro dal annwyd na bod yn nylad y Lord.

Mi fedrwn eu gweld nhw drwy gil fy llygad wrth i mi fwyta 'nghinio, wedi'u gosod drwyn wrth drwyn yn erbyn y ffendar. Roedd pob dim yn blasu 'run fath, a'r plwm pwdin yn glynu yn fy llwnc i nes gneud i mi dagu. Ro'n i wedi gobeithio gallu dianc i'r llofft, ond mi fu'n rhaid i mi helpu Mam i glirio'r llestri. Pan oeddan ni'n y gegin fach, dyna hi'n cau'r drws yn dynn ac yn deud, 'Mi ddeudist ti dy fod ti'n deall, yn do?' 'Ro'n i'n meddwl 'mod i,' medda fi, er nad ydi hynny'n wir chwaith. 'Ond do'n i ddim isio'r hen sgidia 'na. Dydw i'm isio dim byd gen y Lord.'

Mynnu wnaeth hi mai Tom oedd wedi eu prynu nhw efo'r cyflog mae o wedi bod yn gweithio mor galad i'w ennill, ac y dylwn i ddiolch iddo fo. Ond pres y Lord sydd wedi talu amdanyn nhw, ac mi fydd pob cam fydda i'n ei gymryd yn fy atgoffa i o hynny.

Dydw i ddim wedi diolch i Tom, nac yn bwriadu gneud.

1903

Dydd Mercher, Ionawr 7

Fe ofynnodd Isaac Parry i mi ar y ffordd adra o Hermon neithiwr oedd Tom wedi clywad fod Daniel Ellis yn cymryd rhan yn y cyfarfod yn y neuadd nos Sadwrn. 'Dydw i ddim yn meddwl y bydda Tom isio gwbod,' medda fi. 'Taw â deud,' medda ynta. 'A finna'n meddwl fod y ddau'n dipyn o ffrindia.'

Wn i ddim ddylwn i fod wedi sôn wrtho fo pa mor gas oedd Daniel Ellis wedi bod wrth Tom, ond roedd fy ngwaed i'n berwi wrth feddwl fod gan hwnnw'r wynab i ddeud wrth y streicwyr be i neud rŵan, ac ynta heb godi bys bach i helpu. 'Biti garw,' medda Isaac Parry, mewn llais yr un ffunud ag un Nhad.

Dydd Mawrth, Ionawr 13

Mae Tom wedi brifo'i droed. Damwain oedd hi, medda fo, ond roedd Mam fel 'tasa hi'n gwrthod credu y galla Tom fod mor flêr ac yn meddwl, am wn i, fod rhywun wedi gneud ati i ollwng carrag ar ei droed o. Mae hi wedi bod mor brysur yn tendio arno fo fel na ddaru hi ddim hyd yn oed sylwi 'mod i wedi adrodd salm gyfa, heb fethu unwaith, yn Hermon bora Sul.

Dydd Mercher, Ionawr 14

Rydw i wedi bod yn diodda'r hen sgidia 'na ers dros wythnos, ond yr eiliad y cyrhaeddas i adra heddiw, dyna fi'n eu tynnu nhw ac yn eu taflu ar draws y gegin. 'A be mae rheina wedi'i neud i ti?' medda Mam. 'Brifo maen nhw,' medda finna. Ond ches i ddim cydymdeimlad. Dim ond gofyn o'n i wedi gweld y golwg oedd ar droed Tom ddaru hi, a deud y bydda gen i achos cwyno 'taswn i'n ei le fo. Do'n i ddim isio gweld, na chlywad dim am y chwaral. Ond gwrando fu'n rhaid i mi, ar Tom yn deud y bydda'r chwydd wedi mynd i lawr erbyn fory ac na fedar o fforddio colli dwrnod arall o waith, a Mam yn mynnu nad oedd ganddo fo obaith cael esgid am ei droed, heb sôn am allu cerddad cyn bellad â Braich y Cafn.

Falla na ddylwn i ddim fod wedi deud mai arno fo roedd y bai yn gollwng y garrag ar ei droed, ond ro'n i wedi cael llond bol arnyn nhw erbyn hynny. Pan ddeudodd Tom fod y chwaral yn lle peryg ar y gora, ac y bydda'n well i mi lynu at fy ngwaith ysgol, mi wylltias i fwy fyth, a gweiddi mai dyna ydw i am ei neud ac nad a' i'n agos i'r twll lle. Do'n i ddim wedi bwriadu deud ffasiwn beth, nac wedi meddwl amdano fo tan y munud hwnnw.

Dydd Iau, Ionawr 15

Dydw i wedi gneud dim ond meddwl ers neithiwr, ac mae 'mhen i'n troi. Ro'n i'n arfar gwbod yn iawn i ble ro'n i'n mynd, ac yn rhy dwp i ddeall be oedd Tom yn ei olygu wrth ddeud mai'r Lord bia'r tŷ a'r tir, a'u bywyda nhwtha hefyd. Unwaith y byddwn i'n dechra'n y chwaral, fo fydda bia finna. Nid fi fyddwn i, ond gwas bach y Lord, yn gorfod diolch iddo fo am bob dim. Fydd gen i'm dewis felly ond aros yn yr ysgol a 'gneud rwbath ohoni', fel bydd y Mr Owen 'na'n ddeud. Ond does gen i ddim mymryn o awydd gneud hynny chwaith.

Dydd Mawrth, Ionawr 20

Does 'na ddim diban meddwl rhagor, na sgwennu yn hwn. Mae pob dydd 'run fath, a golwg wedi blino ar bawb.

Mis Chwefror

'Run fath.

Dydd Llun, Mawrth 16

Mam oedd yn iawn yn deud fod Mr Parry, Coetmor Hall, wedi gneud rhaff i'w grogi ei hun. Y Lord ddaru ennill yr achos, ac fe fydd yn rhaid iddo fo dalu pum can punt o iawn i hwnnw. Pum can punt, dim ond am ddeud y gwir!

Dydd Gwener, Mawrth 27

Roedd y dyn Trench 'na'n gadal y tŷ fel o'n i'n cyrradd adra heddiw. A dyna fo'n rhoi ei law ar fy mhen i ac yn deud, yn Saesnag, y bydda'i fywyd o lawar haws 'tasa pawb 'run fath â Mam. Chwerthin ddaru hi pan glywodd hi hynny. 'Diolch mai dim ond un ohono fo sydd 'na,' medda hi. Finna'n ei chofio hi'n crio am nad oedd ganddi bres i dalu'r rhent. Ond 'tasa Tom heb fynd yn ôl i'r chwaral, does wbod lle byddan ni heddiw. Rydw i'n deall erbyn rŵan na fydda fo byth wedi rhoi'i enw oni bai am Mam a fi, ac nad oedd gen i'm tamad o hawl ei alw fo'n fradwr, ond fedrwn i ddim chwerthin, er fy mod i mor falch â hitha ein bod ni'n gallu teimlo'n saff.

Dydd Llun, Ebrill 6

Mi es i gyfarfod Tom at Hirdir heddiw am y tro cynta.
Roedd o'n pitïo'n arw nad oedd ganddo fo 'run frechdan
sbâr i mi. Ro'n i'n teimlo'n annifyr iawn pan ddeudodd o
ei fod o wedi bod yn cadw un bob dydd am wythnosa ar
ôl ailddechra gweithio, yn y gobaith y byddwn i yno.
Ond fe wnaiff yn siŵr fod ganddo fo un fory, medda fo.
Rydw i'n difaru i mi fynd. Fe fydd Tom yn disgwyl i mi
fod yno bob pnawn rŵan, ac yn meddwl fod petha 'run
fath ag oeddan nhw.

Dydd Sul, Ebrill 19

Roedd Isaac Parry'n deud fod Daniel Ellis yn dal i
siarad yn y neuadd bob nos Sadwrn a'r dynion wedi'i
dderbyn yn un ohonyn nhw. Cyfarfod dydd Llun y Pasg
oedd y pwysica er pan ddechreuodd y streic, a phawb yn
benderfynol o ddal ymlaen nes cael telera teg. Meddwl
o'n i gymaint gwell fydda gen i fod wedi cael yr hanas

gan Tom. Ond doedd ganddo fo ddim hawl bod yno. Llynadd, roedd ynta'n un ohonyn nhw, a Daniel Ellis yn ddim byd. Mae fel 'tasa pob dim wedi troi tu chwith allan.

Dydd Mercher, Ebrill 22

Mae rhyw ddynas o Pesda wedi cael deg swllt o ddirwy am weiddi, 'Bradwyr, cynffonnau a Bw', ar rai o berthnasa'r gweithwyr. Does 'na neb wedi gneud hynny i ni, er bod 'na rai yn troi eu penna draw pan fyddwn ni'n mynd heibio.

Dydd Gwener, Mai 8

Mae Ned yn cael ei ben blwydd wythnos nesa ac yn gadal yr ysgol i fynd i weithio mewn siop grosar ym Mangor. Modryb Gwen Mary gafodd y lle iddo, ond i nain Gerlan mae'r diolch am ddeud na fedra Ned gael neb gwell i ddeud gair drosto fo na modryb Gwen Mary, a hitha'n un o bobol bwysig St Ann. Fe fydd Ned yn aros yno drwy'r wythnos ac yn dŵad adra ar Sulia. Ond go brin y gwela i o a finna'n y capal y rhan fwya o'r dwrnod.

Dydd Llun, Mai 25

Er na fuo Ned erioed yn ffrind go iawn fel Joni, rydw i ar goll hebddo fo. Ro'n i'n meddwl falla y bydda fo wedi galw i 'ngweld i ddoe, ond ddaru o ddim. Dydi o'm isio dim i neud efo fi, mae'n siŵr, rŵan ei fod o'n gweithio.

Rydw i wedi bod yn mynd i gyfarfod Tom bron bob pnawn, am nad oes gen i ddim byd gwell i neud. Cerddad ar ei ben ei hun y bydd o. Does ganddo fo 'run ffrind, mwy na finna.

Dydd Mawrth, Mehefin 2

Roedd 'na orymdaith fawr wedi bod yn Llundan dydd Sadwrn. Pwyllgor y Gronfa Gynorthwyol mewn rhyw le o'r enw Bethnal Green oedd wedi trefnu'r cwbwl. Trio helpu oeddan nhw, mae'n debyg, drwy atgoffa pobol am y streic, ond go brin fod gan yr un ohonyn nhw syniad pa mor ddrwg ydi hi yma. Roedd un o'r cerbyda wedi'i addurno efo bloda a hwnnw'n llawn o blant bach Llundan yn cymryd arnyn mai plant Pesda oeddan nhw. Mi fetia i na fydda'r un ohonyn nhw'n barod i newid lle efo ni. Llond eu bolia o fwyd, dyna mae pobol a phlant Pesda ei angan, nid bloda.

Dydd Gwener, Mehefin 12

Mae Twm Mos wedi bod yn dŵad draw yma reit amal fin nosa. Dydi Mam yn hidio fawr amdano fo. Hen hogyn powld ydi o, medda hi. Ofn sydd ganddi y bydd o'n ddylanwad drwg arna i, fel oedd Now Morgan ar Tom, mae'n siŵr. Mae cael cwmpeini Twm Mos yn well na bod heb neb, ond fedrwn ni byth fod yn ffrindia.

Dydd Sadwrn, Mehefin 20

Gweld y bach a phowl yn hongian ar y bachyn wnes i bora 'ma, a chofio'r hwyl fydda Joni a finna'n ei gael. A dyna fi'n cychwyn am Dregarth, heb feddwl rhagor. Mi fydda'n llawar gwell 'taswn i wedi meddwl, a finna'n gwbod nad ydi hi'n bosib cael y petha sydd wedi mynd, yn ôl.

Soniodd Joni 'run gair am Llwybrmain, fel 'tasa fo erioed wedi bod yn byw yma. Dim ond edrych yn hurt arna i ddaru o pan ofynnas i oedd o'n ein cofio ni'n achub Mathew Jones o'r ffos, ac fel byddan ni'n arfar mynd â chrwyn tatws i Adda Graig-lwyd bob Sadwrn. Mae o'n meddwl y bydd y streic drosodd erbyn yr hydra, a phawb yn ffrindia unwaith eto. Mi fu ond y dim i mi ddeud ei fod o'n fwy twp nag arfar os ydi o'n credu fod hynny'n bosib, ond wnes i ddim. Waeth gadal iddo fo feddwl hynny ddim.

Roedd Twm Mos wedi clywad 'mod i wedi bod yn gweld Joni. 'Mynd i ddeud fod yn ddrwg gen ti am ei fygwth o 'nest ti, ia?' medda fo. Dyna o'n i wedi bwriadu'i neud, ond do'n i ddim am gyfadda hynny wrth Twm Mos, o bawb. 'Dydi o ddim yn ddrwg gen i,' medda fi. 'A p'un bynnag, mae pen y Joni Mos 'na'n rhy wag i allu cofio dim.' Troi'n filan ddaru o, a deud y byddwn i'n difaru deud hynna am Joni'i gefndar.

Er bod yn gas gan Mam ffraeo, roedd hi wrth ei bodd pan ddeudis i nad ydw i'm am foddran rhagor efo Twm Mos. Fydd dim rhaid i mi ei ddiodda fo'n hir eto. Mi fydd ynta'n gadal yr ysgol toc, i fynd i weithio i'r stesion efo'i dad. A gwynt teg ar ei ôl o. Rydw i wedi penderfynu fod yn well gen i fod heb neb.

Dydd Llun, Gorffennaf 13

Mi ges i andros o newydd da heddiw. Fydd syr ddim yn yr ysgol pan awn ni'n ôl mis Medi.

Fe ofynnodd i mi aros ar ôl ddiwadd y pnawn. Ro'n i'n meddwl falla ei fod o am ymddiheuro am fy nghuro i ar gam, ond soniodd o ddim byd am hynny. Go brin fod hwnna erioed wedi deud fod yn ddrwg ganddo fo wrth neb, na meddwl fod 'na unrhyw fai arno fo. Am i mi addo glynu at fy ngwaith ysgol oedd o. Ond ro'n i wedi penderfynu na fyddwn i'n addo dim i neb byth eto, a wnes i ddim tro yma chwaith.

Dydd Gwener, Gorffennaf 24

Mae'r ardd yn un llanast eto. Falla yr a' i ati i dacluso dipyn arni yn ystod y gwylia. Fe fydda Nhad wrthi am oria ar ôl dŵad adra o'r chwaral, ond dydi Tom ddim wedi bod yn agos i'r lle. Falla ei fod o'n cofio deud mai'r unig beth oedd yn ei gadw fo i fynd oedd cymryd arno mai'r adar duon oedd y drain.

Fe ofynnodd Emrys Cefnan i mi yn y Band of Hope heno oedd gen i awydd mynd draw i'r stesion efo fo fory. Mae'i dad yn dŵad adra am chydig o ddyddia. Fo oedd un o'r rhai cynta i adael am y Sowth. Gwrthod wnes i. Dydw i ddim wedi bod yn y stesion ers y dwrnod hwnnw yr aeth Joni a finna i lawr yno, a'u clywad nhw'n morio canu wrth droi eu cefna.

Dydd Sul, Awst 2

Ar fy ffordd i'r capal yr o'n i pan welas i Ned. Cario allan mae o, medda fo, ac mae'r mistar yn deud na chafodd o erioed hogyn gwell. Dydyn nhw wedi clywad gair gan Jac Gwil, ond doedd hynny'n poeni dim ar Ned. Fo ydi dyn y teulu rŵan, ac mae modryb Gwen Mary ac ynta'n gofalu nad oes 'na neb yn llwgu yn eu tŷ nhw. Ond i nain Gerlan mae'r diolch, nid y fo. Pan glywodd o 'mod i am aros yn yr ysgol, dyna fo'n deud, a hen wên sbeitlyd ar ei wynab, 'Fydd gen ti ddim gobaith cadw dy hun, heb sôn am neb arall, am flynyddodd 'lly.' Mi wn i fod hynny'n wir, ond ar y clwt fydda Ned oni bai fod ganddo fo nain a modryb i roi gair drosto fo. 'Wela i di o gwmpas ma'n siŵr,' medda fo, a swagro i ffwrdd fel 'tasa fo wedi gneud ei ffortiwn. 'Ddim os gwela i di gynta,' medda finna dan fy ngwynt.

Dydd Mercher, Awst 12

Rydw i wedi bod yn hel llus yn Parc Gelli efo Emrys Cefnan, ac mae Mam am neud tartan erbyn daw Tom adra. 'Mi dw i'n siŵr fod 'na gymint o lus yn dy fol di ag sydd 'na'n y tun 'ma,' medda hi. Ond mae hi'n falch fod gen i gwmpeini, yn lle 'mod i'n sefyllian o gwmpas drwy'r dydd ac yn ei rhwystro hi rhag gneud ei gwaith. Rydw inna'n falch hefyd. Dydi bod heb neb ddim yn beth braf o gwbwl.

Gweithio dan ddaear mae tad Emrys, medda fo, ac mae 'na wythnosa'n mynd heibio heb iddo fo weld gola dydd o gwbwl. Pan ofynnas i sut mae o'n gallu diodda bod yn y twllwch drwy'r amsar, dyna Emrys yn deud nad ydi o ddim, ond nad oes ganddo fo ddim dewis a chwech ohonyn nhw angan eu cadw. Ro'n i'n arfar meddwl nad oedd y rhai ddaru adael Pesda ddim gwell na'r bradwyr, ond dydw i ddim mor siŵr erbyn rŵan.

Dydd Gwener, Awst 21

Does 'na fawr o wylia ar ôl. Mae'r ardd yn edrych rywfaint yn well. Fi wnaeth y gwaith i gyd, ac ro'n i reit siomedig pan ddeudodd Mam, 'Be fyddwn i'n ei neud heb Tom a chditha, d'wad?' Ond erbyn meddwl rŵan, fydda ganddon ni na gardd, na chartra chwaith, oni bai am Tom.

Roedd Emrys yn deud ddoe na fedar o'm diodda meddwl am fynd i weithio'n y chwaral flwyddyn nesa, ond nad oes ganddo fo unrhyw obaith mynd i'r ysgol fawr. Fo ydi'r hyna o'r plant, a gora po gynta y bydd o'n dechra ennill cyflog, er mwyn helpu'i fam. Rydw i'n lwcus, medda fo.

Falla 'mod i, ac fe fydd hi'n haws diodda'r ysgol rŵan na fydd Mr Owen o gwmpas. Ond mi dw i'n cofio Nhad yn deud nad oedd 'na nunlla ar wynab daear yn debyg i Fraich y Cafn. 'Tasa fo wedi cael mynd yn ei ôl yno, fel oedd o isio, mi fydda'n dal yma rŵan, yn adrodd hanas Twm bach ac yn llwyddo i gyrradd Bangor heb gael ei ddal yn deud 'ia' na 'nace'. Fydda Nhad byth wedi digio wrth y chwaral, fel rydw i. Fedra fo ddim.

Dydd Mercher, Medi 2

Mae Mam yn falch fod Emrys a finna'n ffrindia. Fo enillodd ar atab cwestiyna yn y cyfarfod darllan heno, ac roedd hi'n ei ganmol o'n arw. 'Fe aiff yr hogyn yna'n bell,' medda hi. Clecian ei thafod ddaru hi pan ddeudis i nad aiff o ddim pellach na Braich y Cafn, gan fod yn rhaid iddo fo ddechra gweithio gyntad ag sy'n bosib er mwyn helpu'r teulu.

Dydd Llun, Medi 7

Fedra i yn fy myw setlo yn yr ysgol, er nad ydi syr a Twm Mos ddim yno. Mae Mr Lewis, yr athro newydd, yn un clên. Dydi'i Saesnag o ddim hannar mor grand ag un y Mr Owen 'na ac mae o'n siarad Cymraeg efo ni pan nad oes 'na neb o gwmpas. Mae o i weld yn gwbod lot fawr am y chwaral.

Mi wn i y bydda Emrys yn rhoi unrhyw beth am gael y cyfla i fynd i'r ysgol fawr, ac y dylwn i gyfri 'mendithion, fel bydd Mam yn deud. Ro'n i o 'ngho efo Ned pan ddeudodd o, a'r hen wên sbeitlyd 'na ar ei wynab, na fydd gen i ddim gobaith cadw fy hun, heb sôn am neb arall, am flynyddodd. Ond fo oedd yn iawn.

Dydd Mawrth, Medi 8

Rydw i wedi penderfynu gadal yr ysgol mis Hydref. A' i ddim yn agos i'r chwaral, ond siawns na fedra inna gael gwaith mewn siop, er nad oes gen i na nain Gerlan na modryb Gwen Mary i ddeud gair drosta i.

Dydd Mercher, Medi 9

Mi arhosas i nes bod Mam wedi mynd draw i Tŷ Pen heno cyn deud hynny wrth Tom. 'Dydi o ddim yn deg dy fod ti'n gorfod gweithio i 'nghadw i,' medda fi. Dyna fo'n syllu i fyw fy llygaid i ac yn gofyn, 'W't ti'n meddwl ei fod o'n deg siomi Mam?' Mi wn i gystal ag ynta, medda fo, mor awyddus ydi hi 'mod i'n cael y cyfla i

neud y gora o'r gallu sydd gen i. Dyna oedd Nhad ei isio
hefyd, er bod ganddo fo gymaint o feddwl o'r chwaral. Ac
fe allwn ni'n dau, efo'n gilydd, neud yn siŵr eu bod nhw'n
cael eu dymuniad. Wnaeth o ddim gofyn i mi addo dal ati,
diolch am hynny, ond dyna'r unig beth fedra i neud rŵan.

Dydd Mercher, Medi 16

Roedd Grace Ellis wedi bod yma pnawn 'ma. 'Oeddat
ti'n gwbod mai'r titshiar 'na ddaru roi cansan i ti oedd ei
chariad hi?' medda Mam. 'O'n,' medda finna. 'Ond mae
o wedi hel ei draed odd'ma rŵan. Hen gythral anghynnas
oedd o, yn gwrthod siarad Cymraeg er ei fod o'n medru'n
iawn, a byth yn colli cyfla i ganmol y Lord.'

Ches i ddim tafod am regi. Dim ond ysgwyd ei phen
ddaru Mam, a deud fod y Mr Owen 'na wedi gofyn i
Grace ei briodi a mynd i'w ganlyn i ble bynnag oedd o'n
bwriadu mynd. Ond doedd Grace ddim yn rhydd i adal,
medda hi, a fedra hi byth gefnu ar Pesda a'i theulu. Yma
mae hi'n perthyn, ac yma mae'i dyfodol hi, beth bynnag
sydd gan hwnnw i'w gynnig. Mi fydda'n dda gen i 'taswn
i yma i'w chlywad hi'n deud hynny, er nad ydw i wedi
madda iddi am ddigio wrth Tom.

Dydd Iau, Medi 24

Dim rhyfadd fod Mr Lewis yn gwbod cymaint am y chwaral. Un o Flaenau Ffestiniog ydi o, ac mae'r lle hwnnw'n chwareli i gyd. Roedd ynta wedi bod yn gweithio yn un ohonyn nhw am dair blynadd, er mwyn cael digon o bres i brynu llyfra. Fe fydda wedi gneud pregethwr da, ond mi dw i'n falch mai dewis mynd yn ditsiar ddaru o.

Pnawn heddiw, fe gawson ni rywfaint o hanas Robinson Crusoe, oedd wedi gadal cartra i fynd i'r môr. Er i'r llong gael ei malu'n rhacs mewn storm, fe lwyddodd y Crusoe 'ma i nofio i ryw ynys. Methu deall o'n i sut oedd o'n mynd i allu byw yn fan'no ar ei ben ei hun, heb na bwyd na diod, ond fe ganodd y gloch cyn i mi gael gwbod. Rydw i'n gobeithio y cawn ni ragor o'r stori fory.

Dydd Gwener, Medi 25

Chawson ni ddim gwbod be ddigwyddodd i Robinson Crusoe. Fe fydd yn rhaid i ni ffeindio hynny allan droson ein hunain drwy ddarllan y llyfr, medda Mr Lewis. A lle ca' i bres i brynu peth felly?

Dydd Llun, Medi 28

Mae Mr Lewis wedi dŵad â chopi o *Robinson Crusoe* i'r ysgol, ac rydw i wedi cael ei fenthyg o gynta, am mai fi ydi'r un gora am ddarllan. Mae Mam yn meddwl y dyla fod gen i betha rheitiach i'w darllan na rhyw hen nofal Saesnag, er ei bod hi wrth ei bodd yn clywad fel roedd Robinson Crusoe wedi gallu gneud cymaint o betha allan o ddim byd. Ond mae pobol Pesda 'ma wedi gorfod gneud hynny am dair blynadd, medda hi.

Dydd Sadwrn, Hydref 3

Ar gychwyn allan i chwara efo Emrys o'n i pan ddeudodd Mam wrtha i am fynd i newid i 'nillad gora. 'Ond fory mae hi'n ddydd Sul,' medda fi. 'A fory mae dy ben blwydd ditha,' medda hitha, 'ond mi gymrwn ni arnon dy fod ti'n ei gael o heddiw.' Syniad Tom oedd y trip i Fangor. Ro'n i'n ama y bydda'n well gan Mam fod wedi gwario'r pres ar betha sydd eu hangan.

Roedd y stryd fawr yn llawn dop o bobol, a'r rheiny'n mwynhau eu hunain, fel 'tasa dim byd yn eu poeni nhw. Fedrwn i ddim peidio meddwl mor wag ydi stryd fawr Pesda, a'r olwg ddigalon sydd ar bawb yno, ond pan edrychas i ar Mam roedd hi i weld yn mwynhau ei hun gymaint â neb, ac yn gwenu fel bydda hi cyn y cloi allan. Fe gawson ni de mewn caffi, efo lliain gwyn ar y bwrdd a llestri efo patrwm bloda arnyn nhw. Pan ofynnas i iddi pryd mae hi'n cael ei phen blwydd, deud ddaru hi fod yn well gan rywun anghofio hynny wrth fynd yn hŷn, ond ei bod hi wrth ei bodd yn cael rhannu f'un i.

Dydd Gwener, Hydref 16

Maen nhw wedi mynd â Harri bach i'r seilam, a go brin y daw o byth odd'no, mwy na nain Ned. Fydda fo ddim yn nabod ei fam, hyd yn oed 'tasa hi'n gallu fforddio mynd yno i'w weld, a dydi Harri ddim callach lle mae o, ond methu diodda meddwl ei bod hi wedi'i gael o'n ôl yn fyw, dim ond i'w golli wedyn, mae Nel Tomos.

Mae Mam yn gobeithio na fydd 'na byth ryfal eto yn nunlla, ond mae'n rhyfal ni yn dal i fynd yn ei flaen. Eu rhyfal nhw ydi o, ran hynny – y nhw sydd â'r hawl i fod yn neuadd y farchnad bob nos Sadwrn. Y nhw sy'n diodda ac yn llwgu rŵan, ond y nhw fydd yn gallu bod yn falch ohonyn eu hunain pan fydd hyn i gyd drosodd.

Dydd Sadwrn, Hydref 31

Mi welas i Laura Penybryn yn y pentra heddiw. Mae hi wedi gadal Castall Penrhyn, ac yn gweithio fel morwyn yn Coetmor Hall. Roedd hi am i mi ddeud wrth Tom ei bod hi a Dan yn ffrindia, fel byddan nhw, a bod dymuniada'n gallu dŵad yn wir os ydan ni isio rwbath o ddifri calon.

Wn i ddim yn iawn be ydw i ei isio, ond mi wna i bob dim fedra i i neud yn siŵr fod dymuniad Mam a Nhad yn dŵad yn wir.

Dydd Llun, Tachwedd 2

Mae Tom yn falch fod Laura a Daniel Ellis yn ffrindia unwaith eto, ond dydw i ddim. 'Mae un ohonon ni'n pedwar wedi cael ei dymuniad, felly,' medda fo, a sôn fel byddan nhw'n arfar chwara'r gêm 'pan fydda i'n fawr' wrth Bont Twr ers talwm. Pregethwr oedd Daniel Ellis am fod, Grace yn ditsiar, ac ynta'n chwarelwr, ond fydda Laura byth yn deud, er eu bod nhw'n gwbod nad oedd hi isio neb na dim ond Dan. 'Ond dewis y pregethu, nid Laura, ddaru Daniel Ellis,' medda finna.

Roedd Tom yn cofio Dan yn deud nad oedd ganddo fo ddewis ond cerddad y llwybyr yr oedd o wedi cael ei alw i'w ddilyn, ar ei ben ei hun. Mi dw i'n deall pa lwybyr ydi hwnnw, ac wedi clywad digon o sôn amdano fo'n y capal bob Sul, ond mi fyddwn i'n meddwl ei bod hi'n llawar haws ei gerddad o efo cwmpeini. A rŵan ei fod o wedi methu, mae'r shinach yn disgwyl i Laura fadda'r cwbwl, a hitha'n barod i neud.

Dydd Iau, Tachwedd 12

Fe gafodd ffrwydron eu tanio heddiw, i groesawu'r Lord a phobol bwysig er'ill i'r chwaral. Mae 'na fwy a mwy o ddynion yn mynd yn ôl bob dydd. Mi fydd 'na gyfarfod mawr nos Sadwrn nesa i benderfynu ydi'r rhai sy'n para ar streic am ddal ati ai peidio.

Dydd Sul, Tachwedd 15

Roedd hi'n rhy hwyr i mi fynd i weld Isaac Parry neithiwr, ond ro'n i'n gwbod y munud y gwelas i o'n y capal bora 'ma fod y streic drosodd, ac mi es draw yno'n syth ar ôl cinio. Roedd y dyddiadur yn agorad ar y bwrdd. Dyna fo'n ei estyn i mi ac yn deud, 'Darllan di rhain, Ifan. Dyma'r geiria anodda ydw i wedi gorfod eu sgwennu erioed.' Dim ond un frawddeg oedd 'na – 'Y streic ar ben' – wedi'i sgriblan ar draws y dudalan a llinall ddu oddi tani.

Chaiff Isaac Parry mo'i dderbyn yn ôl i'r chwaral, hyd yn oed 'tasa fo isio hynny. Mae'r Mr Young 'na'n gwrthod pawb sydd wedi pechu yn erbyn y Lord ac ynta. Mae o am fynd i fyw at ei gefndar, sy'n cadw ffarm yn Sir Fôn. Fydd gen i neb i ddeud wrtha i be sy'n digwydd wedyn. Ond fydd 'na ddim byd yn digwydd, o ran hynny.

Dydd Llun, Tachwedd 16

Joni Mos oedd yn iawn, er mai dim ond llwch lli sydd rhwng ei glustia fo. Ond mae'n siŵr nad ydi o'n malio dim fod y streic drosodd. Fe fydd yn cyfri'r dyddia ar ei fysadd nes bydd o'n ddigon hen i gael dechra'n y chwaral. Ydw i'n malio? Ydw, weithia, ond hyd yn oed 'tasan ni – nhw – wedi ennill, fydda gan Mam a Tom a finna ddim hawl i fod yn rhan o hynny a ninna wedi troi'n cefna. Deud oedd Isaac Parry ei bod hi'n haws i ŵr gweddw fel fo ddal ati, gan nad oedd yn rhaid dewis rhwng cydweithwyr a theulu. Ein dewis ni wnaeth Tom.

Dydd Sadwrn, Tachwedd 21

Wedi mynd draw i Tŷ Pen yn gwmpeini i Mam o'n i. Mae gen i biti mawr dros Nel Tomos, ond fedrwn i ddim diodda gwrando arni'n crio ac yn deud, drosodd a throsodd, nad ydi bywyd ddim gwerth ei fyw heb Harri bach. Roedd Mam wedi sylwi 'mod i'n gwingo ers meitin. 'Dos di adra at Tom rŵan, Ifan,' medda hi. 'Mi fydd Nel a finna'n iawn.' Fydd 'run ohonyn nhw byth yn iawn, ond dydi Mam ddim yn crio fel'na, nac yn gneud i bawb arall ddiodda efo hi.

Roedd drws tŷ ni'n gil agorad, ac mi fedrwn i glywad Tom yn deud, 'Fydd petha byth 'run fath eto, Grace.' Camu'n ôl wnes i, a mynd at y ffenast. Mi dw i wedi callio digon bellach i wbod na ddylwn i wrando ar sgyrsia pobol er'ill. Roedd Tom yn ista yng nghadar Nhad, a'i gefn ata i, ond mi fedrwn weld Grace Ellis yn iawn. Syllu ar Tom oedd hi, fel 'tasa hi newydd ofyn cwestiwn ac yn disgwyl yr atab. Ond gneud iddi edrych yn ddigalon iawn wnaeth beth bynnag ddeudodd o. Y munud nesa, roedd hi'n codi ac yn croesi at y drws, a'r peth ola glywas i cyn diflannu rownd y gornal oedd Grace yn deud, 'Biti na faswn i wedi rhoi cyfla i ti.'

Dydd Sul, Tachwedd 22

Ro'n i'n meddwl yn siŵr na fyddwn i ddim gwell o ofyn i Tom pa gyfla oedd Grace Ellis yn sôn amdano fo, ond mentro wnes i. 'Ddylat ti ddim bod yn gwrando,' medda fo, 'ond waeth i ti gael gwbod ddim.' Fo oedd wedi bod yn ddigon gwirion i gyfadda ei fod o wedi gobeithio ar un adag y galla hi ac ynta fod yn fwy na ffrindia, a'i fod o wedi bod isio deud hynny wrthi, fwy nag unwaith. 'A be sy'n wirion yn hynny?' medda fi. Dim ond deud ei bod hi'n rhy hwyr ddaru o. Ond mi dw i'n gobeithio nad ydi hi ddim.

Dydd Sul, Tachwedd 29

Trio codi'n calonna ni oedd Mathew Jones neithiwr, mae'n debyg, drwy sôn am 'ffydd, gobaith, cariad', ond dydi geiria ddim yn mynd i allu gneud hynny, pa mor dda bynnag ydyn nhw. Mi fydda'n braf gallu credu y bydd Duw yn siŵr o ofalu amdanon ni, ond mi dw i'n cofio

Tom yn deud na fedar Duw, er mor glefar ydi o, gadw llygad ar bawb. Cariad ydi'r peth pwysica o'r cwbwl, medda Mathew Jones, ond does 'na ddim llawar o hwnnw ar ôl yn Pesda, nac yn Douglas Hill, a dydi ffydd a gobaith yn dda i ddim hebddo fo.

Mae'n deud yn yr *Herald* nad oes 'na fawr o bres ar ôl yn y Gronfa. Fydd wyth a grôt yr Undab ddim ar gael chwaith. Y Dolig nesa fydd yr un gwaetha erioed. Ond, i mi, fydd o ddim gwaeth na'r Dolig dwytha. Rydw i wedi dŵad i arfar efo sgidia'r Lord erbyn hyn, ac mi fedra i fynd i gyfarfod Tom at Hirdir a bwyta'r frechdan mae o wedi'i chadw i mi fel 'tasa 'na ddim byd o'i le. Ond pan fydda i'n gweld y tun bwyd ar y silff efo R.E. wedi'i sgriffio ar y caead, rydw i'n brifo drosta ac yn methu cael fy ngwynt. Roedd Isaac Parry'n deud y gall y briwia mae'r streic wedi'u gadal wella mewn amsar, ond y bydd y creithia'n aros. Mi dw i'n deall be oedd o'n ei feddwl rŵan. Salwch am byth fydd hwn, iddyn nhw ac i ninna.

Dydd Llun, Tachwedd 30

Does 'na ddim ond hannar tudalan ar ôl o'r copi-bwc. Dydw i ddim yn meddwl yr a' i i foddran cadw dyddiadur eto. Fydd gen i ddim byd o werth i sgwennu amdano fo a finna ddim ond yn gneud yr un peth bob dydd – mynd i'r ysgol a'r capal, bwyta a chysgu, a chwara efo Emrys.

Diolch i Wasanaeth Archifau Gwynedd, i Ysgol Bodfeurig, ac i John Elwyn Hughes am y lluniau sy'n dilyn.

Rhan o Pesda (Bethesda): Y Stryd Fawr ar y dde.

'Does 'na nunlla tebyg ar wynab daear' – Robert Evans.
Chwarel y Penrhyn/Braich y Cafn.

Swyddogion Chwarel y Penrhyn c.1900.

194

'Mae'r Lord a'i deulu'n byw yng Nghastell y Penrhyn ar ffordd Bangor, a walia uchel o'i gwmpas i gadw pawb allan – pawb ond y byddigions sy'n dŵad yno i aros.'

'Yno'n hongian ar hoelan, roedd 'na fach a phowl newydd sbon.'

'Mae'r cora'n cynnal consarts ar hyd y lle ym mhob man er mwyn hel pres i'r Gronfa.'

'Mae 'na griw o'r adar duon yn hel at ei gilydd wrth St Ann fin nos, ac yn meddwl eu bod nhw'n saff yn nghysgod yr Hen Fam.'
Eglwys St Ann.

RHYBUDD.

Bydd Chwarel y Penrhyn yn agored ar ddydd **Mawrth**, **Mehefin 11eg**, i'r holl weithwyr diweddar sydd wedi apelio am waith ac a dderbyniwyd.

Fel yr hysbyswyd yn Chwefror diweddaf, mae y **Rheolau Disgyblaeth** wedi eu cyfnewid, ac y mae rheol newydd wedi ei thynu allan a chytuno arni, pa un, yn ymarferol, a rydd haner diwrnod o Wyl ar y dydd olaf o bob mis, yn mhob peth arall **y** mae Rheolau y Chwarel yn parhau yr un fath ag o'r blaen. (**Y** mae y Rheolau Newyddion y cyfeirir atynt yn argraffedig isod.)

Yn ystod y pythefnos nesaf (h.y., dim diweddarach na Mehefin 4ydd), yr wyf yn barod i dderbyn ceisiadau pellach oddiwrth weithwyr diweddar (heblaw bechgyn) a ddymunant ddychwelyd i weithio. Rhaid i bob ymgeisydd roddi eu rhif blaenorol yn y Chwarel a'r "Bonc," hefyd enw llawn a chyfeiriad.

Ni ellir ystyried ceisiadau oddiwrth "fechgyn" am ail-ddychwelyd i'r Chwarel hyd o leiaf bythefnos ar ol i'r dynion ail-ddechreu gweithio.

Mewn trefn i gario allan y gyfraith mewn perthynas i fygwth neu boeni trwy ormes neu fodd arall (o dan Ddeddf Cyd-fradwriaeth ac Amddiffyniad), y mae amddiffyniad hedd-geidwadol digonol wedi ei addaw gan y Prif Gwnstabl, Colonel Ruck.

E. A. YOUNG.

Port Penrhyn, Bangor,
20 Mai, 1901.

RHEOLAU NEWYDDION.

Disgyblaeth.---Bydd pob ceryddon trwy "ataliad" neu ddiswyddiad. Er engraifft, os bydd gweithiwr yn dyfod yn hwyr (oddieithr drwy aflechyd neu achos sydyn o bwysigrwydd mawr), fe gaiff y tro cyntaf ei rybuddio, yr ail waith atelir ef am chwarter diwrnod, y trydydd droseddiad ataliad am haner diwrnod; ond ceryddir troseddwyr parhaus yn fwy difrifol neu a diswyddiad.

Diwedd y Mis.---Ar y dydd **Mawrth** diweddaf · yn mhob Mis y Chwarel bydd y gweithwyr ar ol rhoddi eu cerrig a'u cyfrifon i fyny a threfnu eu bargeinion am y Mis dyfodol yn rhydd i adael y Chwarel, os dewisant, am y gweddill o'r dydd.

'Heddiw ydi'r dwrnod mawr, dwrnod ailddechra gweithio o ddifri. "Dydd barn chwarelwyr Bethesda" ddaru Isaac Parry ei alw fo yn y cyfarfod gweiddi neithiwr.'

197

NID OES

BRADWR

YN Y TY HWN.

'Prawf o'n teyrngarwch ni ydi'r cerdyn, ffordd o ddangos ein bod ni'n ffyddlon ac yn driw i'n gilydd.'

'Mae 'na griw o blant bradwrs yn Ysgol Bodfeurig erbyn hyn, gormod i'w tynnu nhw'n ein penna.'

Plant ysgol ym Methesda c.1903.

'Mi dw i wedi cael gweld sowldiwrs go iawn o'r diwadd.'

Y milwyr ym Methesda adeg y streic.

Nodyn Cefndir

Pentref, neu dref fechan, yn yr hen Sir Gaernarfon, Gwynedd erbyn hyn, yw Bethesda. Saif ar yr A5, ffordd Llundain i Gaergybi, saith milltir a hanner o ddinas Bangor. Ystyr yr enw Bethesda yw 'Tŷ Trugaredd'.

Ar y cyrion, yr ochr chwith i'r ffordd, wrth deithio o gyfeiriad Betws-y-coed, mae Pont y Tŵr, a'r tu draw iddi y ffordd sy'n arwain i Chwarel Cae Braich y Cafn, Chwarel y Penrhyn.

Un stribed hir yw'r Stryd Fawr. Ar y dde, mae capel Jerusalem, ar y chwith y Douglas Arms, hen gapel Bethesda, lle y cynhaliwyd cyfarfod coffa i'r frenhines Victoria, a'r neuadd. Ar y llechweddau o boptu, ceir nifer o fân bentrefi, yn cynnwys Gerlan a Rachub, Tregarth a Mynydd Llandygái.

Wrth nesáu at Fangor, gwelir y fynedfa i Gastell y Penrhyn, eiddo'r Ymddiriedolaeth Genedlaethol erbyn heddiw. George Sholto Douglas Pennant, Arglwydd Penrhyn, ail Farwn Llandygái, a'i deulu oedd yn byw yno yn 1900. Ef oedd wedi etifeddu Chwarel y Penrhyn, a'i gred oedd fod ganddo hawl i wneud fel y mynnai â'i eiddo ei hun.

Arweiniodd hyn at wrthdaro rhyngddo â'r gweithwyr. Wedi sawl helynt, rhoddodd Emilius Augustus Young, y rheolwr, rybudd wrth y fynedfa ar Dachwedd 22, 1900 yn dweud fod y chwarel yn awr ar gau. Roedd chwarelwyr Braich y Cafn wedi eu cloi allan.

Byddai'r streicwyr yn cyfarfod yn neuadd y farchnad bob nos Sadwrn, gan dyngu eu bod am ddal ati, i'r pen. Rhoesant gardiau â'r geiriau 'Nid oes bradwr yn y tŷ hwn' arnynt yn ffenestri eu tai, fel prawf o'u teyrngarwch. Dewisodd eraill ddychwelyd i'r chwarel, am nifer o resymau. Cawsant eu galw'n fradwyr, yn adar duon a chynffonwyr. Ffurfiwyd Cronfa Gynorthwyol i helpu'r rhai oedd ar streic, a bu'r corau yn teithio o gwmpas y wlad i gasglu arian. Gadawodd cannoedd o ddynion am Dde Cymru a Lloegr, i chwilio am waith. Roedd y sefyllfa'n un druenus, a phobl Bethesda a'r ardal yn dioddef tlodi a newyn.

Rhoddwyd pwysau mawr ar y Pen Gwnstabl Ruck i alw am ragor o blismyn, er mwyn diogelu'r rhai a ddychwelodd i'r chwarel. Galwyd milwyr i mewn, er nad oedd mo'u hangen. Tyngai'r streicwyr eu bod wedi eu dwyn yno i godi ofn arnynt hwy, a'u gorfodi i ildio.

Ailagorwyd y chwarel ddydd Mawrth, Mehefin 11, 1901, ac er mai dim ond 77 oedd wedi pleidleisio dros dderbyn telerau Arglwydd Penrhyn, dychwelodd tua 400 o weithwyr i Fraich y Cafn y diwrnod hwnnw, diwrnod a ddisgrifiwyd fel 'dydd barn chwarelwyr Bethesda'. Cafodd rhai eu gwrthod oherwydd eu hymwneud â'r streic.

Methiant fu ymdrech ddewr y gweithwyr. Daliodd Arglwydd Penrhyn at ei gred mai ganddo ef yr oedd yr hawl i bennu'r telerau ac nad oedd unrhyw bwrpas trafod. Yn y cyfarfod olaf a gynhaliwyd yn neuadd y farchnad, Tachwedd 7, 1903, dywedodd Henry Jones Gerlan, a fu'n llywyddu pob cyfarfod o'r dechrau, nad oedd ganddynt unrhyw ddewis bellach ond terfynu'r frwydr.

Yn ystod y cyfnod hwn, bu farw'r frenhines Victoria ym mis Ionawr 1901, daeth rhyfel De Affrica i ben gyda Chytundeb Vereeniging ddiwedd Mai 1902, ac fe goronwyd Edward V11 yn frenin ar Awst 9 1902. Ond ni wnaeth y digwyddiadau hyn ond prin gyffwrdd â thrigolion Bethesda a'r cylch. Brwydr am fodolaeth oedd eu brwydr hwy.

Geirfa

Bargan (Bargen) Wyneb o graig a fyddai'n cael ei gweithio gan bartneriaid. Byddai'r stiward gosod yn galw heibio i'r fargen unwaith bob mis i 'fargeinio' ac i osod y pris. Byddai hwnnw wedi ei setlo ymlaen llaw yn y swyddfa, ac nid oedd gan y chwarelwr ddewis ond ei dderbyn neu roi ei waith i fyny. Roedd cael bargan wael yn golygu llai o gyflog.

Brwas (Brwes) Bara, bara ceirch, toddion, pupur a halen, wedi'u cymysgu â dŵr poeth.

Caban Yma y byddai'r chwarelwyr yn cyfarfod amser cinio. Byddai caban ar bob ponc, ac roedd gan bob un ohonynt ei lywydd ei hun. Yno y byddent yn bwyta eu brechdanau, yn pasio penderfyniadau i'w hanfon i Undeb y Chwarelwyr, ac yn cynnal trafodaethau ac eisteddfodau.

Dima, ffyrling, grôt, chweugian Mewn hen arian – Dima: hanner ceiniog. Ffyrling: chwarter ceiniog. Grôt: pedair ceiniog.

Chweugian deg swllt, sef chwe ugain – 120 o geiniogau.

Douglas Hill Yr hen enw ar Fynydd Llandygái. Newidiwyd yr enw yn ystod tri degau'r ganrif ddiwethaf gan nad oedd y trigolion am arddel yr enw Douglas, sef rhan o gyfenw'r teulu Penrhyn.

Dwbin Saim oedd yn cael ei rwbio ar yr esgidiau chwarel er mwyn meddalu'r lledr.

Lab Y term a ddefnyddid am gael nwyddau heb dalu amdanynt ar y pryd. ('Buy now, pay later' ein dyddiau ni.)

Loc-yp Y carchar lleol.

Ponc Roedd chwareli Arfon, fel Chwarel y Penrhyn a Chwarel Dinorwig, yn cael eu gweithio'n bonciau, neu orielau, sef stepiau wedi eu torri i mewn i ochr y mynydd.

Salfesh Byddin yr Iachawdwriaeth (Salvation Army). Roedd ganddynt farics ym Methesda, a byddai pobl yn tyrru i'w clywed yn canu eu hemynau ar y stryd fawr bob nos Sadwrn. Byddent hefyd yn rhannu bwyd a dillad i dlodion yr ardal.

Undeb y Chwarelwyr Ffurfiwyd Undeb Chwarelwyr Gogledd Cymru gan chwarelwyr Llanberis yn 1874 er mwyn sicrhau chwarae teg i'r gweithwyr. Bu hyn yn ddigon i godi gwrychyn y perchenogion, ond gan y meistri yr oedd y llaw uchaf bob tro.

Fy Hanes i

Hydref 18, 1586

'Tyrd efo ni, Sion Dafydd,' ddywedodd Nhad heno.

'I ble?' meddwn i.

'Rydyn ni'n disgwyl cychod o Ffrainc,' eglurodd Nhad.

'Smyglwyr efo gwin a defnyddiau i'r Sgweiar,' meddwn i'n wybodus.

Ond ysgwyd ei ben wnaeth Nhad.

'Nage – pethau pwysicach a mwy peryglus o lawer,' meddai'n ddistaw.

'Fel beth?'

'Inc a phapur – y teip newydd i brintio – a choed pwrpasol ar gyfer ffrâm y wasg bren. A'r sgriw fawr hefyd i roi pwysau ar y plât printio.'

'Biti nad oes yna winoedd a defnyddiau drudfawr hefyd,' meddwn i. 'Rydw i'n ffansïo helpu i smyglo go iawn.'

Mi wylltiodd Nhad yn gacwn.

'Yli di, Sion Dafydd,' meddai. 'Nid chwarae plant ydi hyn. Mae bywydau'r Offeiriaid yn y fantol. Tase nhw'n cael eu dal, mae'n debyg mai carchor, crogi a'u diberfeddu fyddai eu hanes nhw.'

Aeth ias trwy fy nghorff . . .

ISBN 1 84323 294 4

£4.99

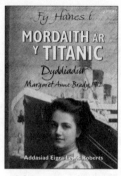

Dydd Llun, Ebrill 15, 1912

Daeth cnoc sydyn ar y drws. Robert oedd yno. Roedd golwg daer yn ei lygaid. 'Noswaith dda, Miss Brady,' meddai. 'Mae angen i chi wisgo dillad cynnes, a mynd draw i'r Bwrdd Badau. A gofalwch fynd â'ch gwregys achub efo chi.'

Miss Brady? Pan glywais i hynny, mi ddechreuais deimlo'n ofnus am y tro cyntaf . . .

Mae'n rhaid ei fod wedi sylwi fod golwg ofidus arna i, oherwydd estynnodd ei law allan a chyffwrdd yn ysgafn â 'mraich.

'Dril arferol,' meddai. 'Does dim angen i chi boeni.' Roedd ar fin gadael pan ddywedodd, yn dawel iawn, 'Peidiwch â chymryd gormod o amser, Margaret.' Efallai nad dril oedd hyn, wedi'r cyfan.

ISBN 1 84323 164 6 £4.99

Dydd Gwener, Awst 30, 1940

Neithiwr, roedd pob man yn llonydd ac yn glir. Wrth iddo gychwyn am ei shifft nos, edrychodd Dad i fyny i'r awyr a dweud, yn ddifrifol, 'Os ydyn nhw am ddod, noson fel heno fydd hi.'

Ac yn siŵr i chi, fe ganodd y rhybudd cyntaf ychydig funudau wedi naw. Roedd Mam allan, yn safle'r ARP, a Shirl, Tom a finna yn swatio yn y cwt mochel efo Chamberlain.

Cyn pen dim, roedd dannedd Shirl yn clecian. 'Nefi wen!' meddai. 'Sut le fydd yma ganol gaea? Alla i ddim teimlo bodiau 'nhraed o gwbwl.'

Mi allwn i weld fod Tom ar fin agor ei geg i ddweud rhywbeth clyfar pan glywson ni'r ffrwydrad cyntaf, ac yna ddau ffrwydrad arall ar ei gwt . . .

ISBN 1 84323 135 2 £4.95